CIELS

DU MÊME AUTEUR

THÉÂTRE

Alphonse, Leméac, 1996.

Les Mains d'Edwige au moment de la naissance, Leméac, 1999.

Pacamambo, Leméac/Actes Sud-Papiers, coll. «Heyoka Jeunesse», 2000; Leméac/Actes Sud Junior, coll. «Poche théâtre», 2007.

Rêves, Leméac/Actes Sud-Papiers, 2002.

Willy Protagoras enfermé dans les toilettes, Leméac/Actes Sud-Papiers, 2004.

Assoiffés, Leméac/Actes Sud-Papiers, 2007.

Le soleil ni la mort ne peuvent se regarder en face, Leméac/Actes Sud-Papiers, 2008.

Seuls. Chemin, texte et peintures, Leméac/Actes Sud-Papiers, 2008.

Le Sang des promesses. Puzzle, racines, et rhizomes, Actes Sud-Papiers/Leméac, 2009.

Journée de noces chez les Cromagnons, Leméac/Actes Sud-Papiers, 2011.

LE SANG DES PROMESSES

Littoral, Leméac/Actes Sud-Papiers, 1999; 2009; Babel n° 1017, 2010.

Incendies, Leméac/Actes Sud-Papiers, 2003; 2009; Babel n° 1027, 2010.

Forêts, Leméac/Actes Sud-Papiers, 2006; 2009; Babel n° 1103, 2012.

Ciels, Leméac/Actes Sud-Papiers, 2009.

ROMAN

Visage retrouvé, Leméac/Actes Sud, 2002; Babel n° 996, 2010.

Un obus dans le cœur, Leméac/Actes Sud Junior, coll. «D'une seule voix», 2007.

ENTRETIENS

«Je suis le méchant!», entretiens avec André Brassard, Leméac, 2004.

WAJDI MOUAWAD

CIELS

Le Sang des promesses / 4

Postface de Charlotte Farcet

BABEL

Leméac Éditeur reconnaît l'aide financière du gouvernement du Canada par l'entremise du Fonds du livre du Canada pour ses activités d'édition et remercie le Conseil des arts du Canada, la Société de développement des entreprises culturelles du Québec (SODEC) et le Programme de crédit d'impôt pour l'édition de livres du Québec (Gestion SODEC) du soutien accordé à son programme de publication.

© LEMÉAC, 2009
ISBN 978-2-7609-2999-9

ISBN ACTES SUD 978-2-330-01019-5

Et tant que vous aurez quelque honte de vous-mêmes
Vous ne serez point encore des nôtres !

Friedrich Nietzsche, *Le Gai Savoir*

Mes paroles ne siéent ni à mon âge ni à mon rang
Mais c'est ta bassesse qui me contraint à les tenir.

Sophocle, *Électre*

LE CRI HYPOTÉNUSE

Pour en arriver à se crever les yeux, il faut avoir vécu dans un aveuglement préalable. Or, si j'étais conscient que *Ciels* était la dernière partie d'un quatuor commencé avec *Littoral*, *Incendies* et *Forêts*, je ne pouvais pas me douter que sa conclusion allait en être, non pas un mot, mais un cri. C'est en effet un vagissement inarticulé qui se fait entendre aux derniers instants de *Ciels*. Ce hurlement referme la porte du « Sang des promesses ».

Lorsqu'aux derniers jours de répétitions, nous en sommes venus à mettre en scène ce cri, je ne voyais pas qu'il était cette phrase manquante que je tentais de retrouver dans le méandre des mots et de la beauté. Ce fut à l'instant précis où John Arnold, le comédien interprétant Charlie Eliot Johns, le vociféra la première fois, dans la douleur et la puissance insensée dont il est capable, que j'ai réalisé monstrueusement combien ce cri depuis longtemps tu en moi, peines à peines, s'était sédimenté sous la couche opaque des raisons et des acceptations, dans la résignation des tristesses qui ôte tout courage au lendemain.

L'hypoténuse est cette diagonale fabuleuse qui relie, en leur point le plus éloigné, deux segments pourtant attachés à leur base en un angle droit. Deux êtres que tout sépare ne peuvent être reliés que par un geste diagonal qui est le geste hypoténuse. En ce sens, le cri de Charlie Eliot Johns est un cri hypoténuse puisqu'il relie *Ciels* à *Littoral*, *Incendies* et *Forêts*.

Contrairement aux trois autres, *Ciels* ne supporte aucune référence au passé, ni à l'enfance, ni aux origines des protagonistes. *Ciels* n'est pas une troupe d'acteurs qui interprètent chacun plusieurs personnages, *Ciels* ne fait pas se côtoyer ni dialoguer les vivants avec les morts, *Ciels* n'a pas été pensé dans un rapport frontal, mais dans un contexte scénographique qui intègre les spectateurs dans le corps même de la représentation. *Ciels* ne se préoccupe pas des histoires secrètes des familles, *Ciels* enfin ne met pas au centre de son récit un personnage sorti de l'adolescence. De plus, ce seront précisément les arguments «salvateurs et consolants» que l'on retrouve dans *Littoral*, *Incendies* et *Forêts* qui seront la cause de la douleur de Charlie Eliot Johns. Tout sépare donc *Ciels* des trois premières pièces et parce que tout ou presque les sépare, le cri à son instant surgit dans sa diagonale pour créer le lien et donner naissance à ce quatuor que j'ai eu envie d'intituler «Le sang des promesses».

Pour en arriver à ce cri hypoténuse, il a fallu créer *Ciels* et pour créer *Ciels* il a fallu une équipe de théâtre. Sans cette équipe, je n'aurais pas pu aller au bout de mes capacités. Sans elle, je n'aurais pas su. Je veux ici la remercier. Remercier particulièrement Gabriel Arcand, John Arnold, Georges Bigot, Valérie Blanchon, Olivier Constant, Victor Desjardins et Stanislas Nordey, les comédiens de *Ciels* qui ont adapté leur travail à un cadre de création astreignant où le texte s'est écrit au fur et à mesure des répétitions et où les éléments vidéo, sonores et scénographiques, dans leur nécessaire complexité, ont exigé patience et compréhension.

Et à tous ceux qui ont participé à ce voyage qui aura duré quatorze années, depuis la création de *Littoral* jusqu'à la création de *Ciels*, je veux souhaiter une bonne route. Ces livres témoignent de ce que nous aurons vécu ensemble.

WAJDI MOUAWAD
Avignon, 30 juin 2009

*Pour Emmanuel Clolus,
descendant d'Ulysse, l'aimé des dieux,
tant il connaissait sa mesure*

PERSONNAGES

Clément Szymanowski
Blaise Centier
Dolorosa Haché
Charlie Eliot Johns
Vincent Chef-Chef
Valéry Masson
Victor Eliot Johns
Anatole Masson

1. Le temps hoquetant

Lieu sans présence humaine.
Technologie informatique.
Ciel de millions de voix.
Chaos de langues, de paroles, d'intimités,
Interceptées, scannées, classées.
Un magma qui dure.
Un signal. Une voix est repérée.
Décodée, syntonisée, clarifiée
Elle surgit.

VOIX MASCULINE. Vous nous avez habitués au sang.
Mais le chien qui n'a plus que la chair sur les os
N'en a pas moins la rage en plus.
Compter les morts ne nous suffit pas pour pleurer les morts.
Vous nous croyez en guerre alors que nous sommes en manque
Vous nous surveillez mais vous ne voyez rien
Vous nous écoutez mais vous n'entendez rien
Ni l'Alpha de nos peines, ni l'Oméga de nos haines

Qui n'étaient qu'enchantements, qui n'étaient
qu'enchantements !
Ni l'harmonieuse calomnie de nos voix
La splendide injure de nos mots
Fabuleuse douleur, fabuleuse douleur !
Le temps des revendications est passé
Voici venu le temps hoquetant.
Hic ! Hic !
Le hoquet que voilà ne craint pas le sursaut
Ne craint pas la gorgée de sang de gorge égorgée
Ni sursaut ni gorgée ne sauront l'interrompre
Nulle respiration retenue
Hic ! Hic !
Voici venu le temps hoquetant !
La peur, la terreur
L'hallali !

Vous nous écoutez mais vous n'entendez rien !
Vous vous assoyez à vos fenêtres
Dans vos mains des bouchées d'enfance
Miettes à jeter aux rats
Pourriture, pourriture !
Où sont les bêtes ? Perdues, perdues
Où sont les vivants ? Perdus, égarés
Où sont les paysages ? Perdus, effacés, raptés
Où sont les hommes ? Brûlés, calcinés
Tout cela dévoré,
Lambeaux entre les dents
Blanchies au nitrate des morales
Brossées à la pâte fluorée des cultures
Gencives passées au fil soyeux de nos vies

Sacrifiées, sacrifiées !
Bonbons mentholés vous nous sucez, vous nous
sucez
Enfantivores !
Vous êtes l'haleine de l'Histoire
Et on appelle cela un État !
Vainqueur sacrificateur
On appelle cela un État !
Voyez le sang : qui ordonne qu'il soit versé ?
Les pères les pères !
Qui l'a versé ?
Les fils les fils !
Tout homme qui tue un homme est un fils qui
tue un fils
Nécessairement horrible nécessairement ;
Tout sang d'homme qui tache des mains d'homme
Nécessairement horrible nécessairement
Est le sang d'un fils qui tache les mains d'un fils !
Calme-toi, soumets-toi, obéis-moi !
Des pères, des pères !

Hic ! Hic !
Nous irons aux chemins de traverse
Par ici les parricides, par ici les parricides
Par ici le sang des pères
Maintenant, maintenant !
Hic ! Hic !
Voici venu le sang hoquetant
Voici venue la horde hoquetante
Des amis, des damnés
Claudiquant en proie aux frayeurs de vos nuits

Allant sans nom, sans yeux, sans visage, sans rien !
Des oiseaux de sang à la place des mains
Par ici les parricides, par ici les parricides !
Vous mâcherez vos dents
Poussière, farine !
Vous voudrez vous relever
Vous relever vous n'oserez pas
Nous vous en empêcherons !
Nous vous en empêcherons !
Nous vous en empêcherons !
Nous vous en empêcherons !
Nous vous en empêcherons !
Nous vous en empêcherons !

La voix disparaît, emportée par le ciel dense des voix humaines.

2. Le jardin

Jardin d'une cour intérieure.
Centaines de statues.
Deux hommes.
Matin.

BLAISE CENTIER. Voici le jardin. Vous fumez ?
La nuit on peut voir la couleur du noir. Vous n'êtes pas le bienvenu ici, vous savez ? Vous savez ça ?
Tout le monde est crevé ; le sentiment de fin du monde c'est amusant un moment ; j'espère pour vous que vous avez le cœur solide, c'est le cœur

qui doit être solide ici. Vous fumez ? Les statues sont arrivées plus tard. Vous avez déjà survécu à un crash d'avion ? L'avion tombe, tout le monde hurle. Une minute. Après tout le monde se tait. L'avion chute dans le silence de ceux qui chutent dedans et c'est interminable. On est plus courageux qu'on pense, mais à la fin on veut juste que ça achève, n'importe quoi à la place de ce vide qui tombe ! On se dit MAIS PUTAIN, MAIS IL EST OÙ LE SOL ! Ici, c'est pareil sauf qu'on ne sait même plus s'il y a encore un sol. On rigole mais ce n'est pas drôle. Alors vous voilà passé en deux jours de brave employé de banque à sauveur de l'humanité ! On évite la crise comme on peut. Bon. Ce n'est pas mon genre, mais un conseil tout de même : essayez de vous souvenir qu'ici vous serez toujours considéré comme un civil. Toujours. Oui. Ils ont aménagé le jardin dans les années soixante pendant la guerre froide à la suite de la première mission ; pour prévenir la dépression des équipes. Une bonne blague ! D'ailleurs aucune plante n'a survécu, aucune bête, canari, pigeon, colombe, tout ça mort en deux semaines, que de l'humain ! Faute de mieux, ils ont installé les statues ; c'est plus aride qu'une fougère, mais ça procure un sentiment de présence, ça rappelle les êtres chers, les amis, on finit par s'en faire des confidents. Ici, pour ne pas craquer, il faut craquer, alors on se met à parler aux statues. Vous n'auriez pas dû accepter de venir.

CLÉMENT SZYMANOWSKI. C'était un ami.

BLAISE CENTIER. Je ne veux pas le savoir. Je vous explique simplement où vous êtes et dans quoi vous venez de mettre les pieds. Votre présence ici est exceptionnelle parce que la situation est exceptionnelle. Pour ne pas dire merdique. Vous comprenez ? Évitez les confidences, l'affectif. Ici, vous êtes un outil. C'est tout. Chacun ici est un outil qui remplit une fonction. Personne ne sait rien sur personne. Je m'appelle Blaise Centier, vous vous appelez Clément Ja…

CLÉMENT SZYMANOWSKI. Szymanowski.

BLAISE CENTIER. Voilà, pas besoin d'en savoir davantage ; ça permet un minimum d'équilibre, alors ne cherchez surtout pas à savoir qui sont les autres ni pourquoi ils sont là, vous n'êtes pas ici pour créer des liens. Ni collègues, ni camarades. On n'est pas là pour faire de la politique. Si vous avez un problème, c'est à moi qu'il faudra venir parler. Vous comprenez ?

CLÉMENT SZYMANOWSKI. Pas vraiment.

BLAISE CENTIER. Ça viendra. Vous n'êtes pas le bienvenu. Nous sommes ici depuis huit mois ! Si tout s'était bien passé, chacun d'entre nous rentrerait chez lui dans quatre jours pour retrouver la chaleur agréable et confortable du doux foyer, sortir le chien, coucher les enfants, battre sa femme, Noël, le petit Jésus et les grosses emmerdes de la vie, mais là, les choses ne se passent plus bien du tout et votre venue signifie qu'on n'est pas sortis de l'auberge et comme l'auberge est dans le bois, on n'est pas sortis du bois non plus, d'ailleurs l'auberge n'est même pas construite encore et le bois n'a pas encore poussé pour qu'on puisse s'en échapper. Qu'est-ce que je raconte ? Je suis crevé. Je fais des cauchemars tout le temps. Un bombardement assourdissant. Vous comprenez ? Bon. J'espère qu'il ne s'est pas foutu de notre gueule en nous renvoyant à vous. Venez. Je vais devoir les avertir. Ils ne sont pas encore au courant. Je voulais être sûr que vous existiez vraiment. Que ce n'était pas une blague. Vous attendrez que je vous fasse signe pour nous rejoindre. Bon. Venez.

Ils quittent le jardin.

3. Rhizome de vies invisibles

Interceptions de tranches de vies formant un labyrinthe sonore où des conversations indépendantes se croisent et s'entrecroisent.

<table>
<tr><td>

Il est resté allongé.
Il dit qu'il a attendu
que le soleil se lève,
mais il n'a rien pu
voir, le temps était
voilé.

Il a pris la voiture.
Il a dit au sud il
fait toujours beau !
Il a fait un signe de
la main. Il est parti.

Il est revenu avec son
ombre.
Je ne suis pas mort.
Il a éclaté de rire !
Tu sais bien.
Ce rire ! Le sien.

J'en ai pleuré après.

C'est la couverture qui
est triste à voir.
Tu te rends compte ?
Un homme meurt
et ce n'est pas sa mort
qui le fait pleurer
mais la couverture
dans laquelle il a dormi
le matin même.

Je sais, tu comprends.

Il faudrait que tu
passes dîner
un de ces jours.

</td><td>

Ne pleure pas,

s'il te plaît...

Jeanne...

Au contraire !

Ne dis pas ça !

Tu sais bien pourquoi !

Alors pourquoi tu ne
le disais jamais !

Pourquoi je pars, alors ?

Mais non !

Qui veux-tu qu'il y ait !

Bon...

Qu'est-ce que tu veux
que je dise...

</td><td>

De la levure,
des amandes grillées,
des figues, si tu trouves,
de la vanille.
La recette de maman.

Tu as de quoi noter ?

Tu graisses
un moule à gâteau.

Oui, du beurre !

Oui, avec les doigts !

Oui !

Il te faut des œufs aussi.

Mélange le beurre,
le sucre jusqu'à ce que
le mélange blanchisse.

Voilà.

Ajoute la farine, le cacao,
le jaune d'œuf et le sel.

Tu mélanges jusqu'à
avoir un tout
homogène !

Non, ce n'est pas fini !

</td><td>

Il faudra de toutes les
façons que quelqu'un
trouve le courage
pour le lui dire !

Je sais.
Je sais.
Je sais.

Je sais.

Je ne peux pas lui dire,
il ne m'écoute pas !

Nous ne
sommes plus des enfants.

Pour ce qui est de ma
façon de vivre,
vous n'y avez jamais
rien compris !

Je n'arrive pas !

</td></tr>
</table>

Note de l'éditeur : Représentation écrite de neuf conversations téléphoniques simultanées dont on entend qu'un seul interlocuteur. Ici, le lecteur dispose de l'axe vertical pour lire de manière indépendante chacune des neuf voix.

			Raccrocher	
	La réflexion n'est pas possible.	Secteur	Bip Bip	Nous nous sommes retrouvés.
	Toute analyse sur...	de la mer Baltique :	Bip	
		convoi numéro 7.	Bip Bip	Le porche de l'église.
	Oui, mais...	Je répète :	Bip	
		convoi numéro 7.	S'il vous plaît, veuillez raccrocher et composer	Tellement !
	Est-ce que...		de nouveau.	
	Ce n'est pas envisageable.	Livraison du matériel.	S'il vous plaît, veuillez raccrocher	
Allô, maman ? Belgrade !		Je répète : livraison du matériel.	Bip Bip	
			Bip	C'était irréel.
Il pleut ! Chez vous ?			Bip	
	C'est constitutif !	Trente-quatre.	Bip	Splendide !
Oui !		Vingt-deux.	Bip	Magnifique !
	Absolument !	Seize.	Bip	
Oui !		Zéro un.	S'il vous plaît, veuillez raccrocher et composer de nouveau.	Il était pur !
(rire)		Dix heures inversées.		
		Je répète :	S'il vous plaît, veuillez raccrocher.	Si tu savais !
		dix heures inversées.	Bip	
Je voulais juste vous donner des nouvelles.	La surdité des concepts, je veux dire...		Bip Bip	
		En cas de mauvais temps, même principe.	Bip Bip	Tu te rends compte ?
Vendredi.			Bip	
		Annulation si code 33.		Depuis toujours !
		Rapport en fin de livraison.		Tu ne comprends pas que lui ait pu faire
Je vais essayer.	Ce n'est pas toujours la faute des hommes !			ça !
Je ne sais pas si j'aurai le temps.				Un accident !

4. Cellule francophone

Matin. Salle de travail. Une voix surgit.

VOIX DE FEMME. HAÏÈT BAHR EL BALTIK.

DOLOROSA HACHÉ. Là, en arabe !

VOIX DE FEMME. NAKKEL RA'M SABAA
/ OUWIID : NAKKEL RA'M SABAA / TAWSIIL
ÉCHIYA'/ OUWIID : TAWSIIL ÉCHIYA'/
TALÉTA WA ARBIIN TNÈYNA WA ÉCHÉRINE
SITAACHAR SIFER WAHHAD / ACHER SAAT
BEL AAX / OUWIID : ACHER SAAT BEL AAX /
MAHMA KAN ELTAX MOUTAGHAÏR NEFS EL
MAWOUD / ILGHAA' LAW RAKM TALATTA WA
TALATIN / TAKRIIR BÉ AKHIL'EL TÂWSIL

Version hongroise du même message :

VOIX DE FEMME. BALTI TENGERI
RÉGIÒ / HETES SZÀMÙ SZÀLLÌTMÀNY /
ISMÉTLEM : HETES SZÀMÙ SZÀLLÌTMÀNY /
FELSZERELÉS KÉZBESÌTÉSE / ISMÉTELEM :
FELSZERELÉSKÉZBESÌTÉSE / HARMINCNÉGY
HUSZONKETTÔ TI-ZENHAT NULLA EGY /
TÌZ ÒRA VISSZAFELÉ / ISMÉTELEM : TÌZ
ÒRA VISSZAFELÉ / ROSSZ IDÔ ESETÈN
UGYANAZ ÉRVÉNYES / 33 –AS KÒD ESETÉN
LEMONDJUK / BESZÀMOLÒ SZÀLLÌYÀS UTÀN

Au cours de la dernière heure, ce même message a
été intercepté en polonais, en hongrois, en anglais,

en russe, en japonais, en coréen et, à l'instant, en français.

> VOIX D'HOMME. SECTEUR DE LA MER
> BALTIQUE / CONVOI NUMÉRO 7 / JE
> RÉPÈTE : CONVOI NUMÉRO 7 / LIVRAISON
> DU MATÉRIEL / JE RÉPÈTE : LIVRAISON DU
> MATÉRIEL / TRENTE-QUATRE VINGT-DEUX
> SEIZE ZÉRO UN / DIX HEURES INVERSÉES
> / JE RÉPÈTE : DIX HEURES INVERSÉES / EN
> CAS DE MAUVAIS TEMPS MÊME PRINCIPE /
> ANNULATION SI CODE 33 / RAPPORT EN FIN
> DE LIVRAISON

VINCENT CHEF-CHEF. La version hongroise provient du Caire et a été interceptée à 7 h 46 ce matin ; la version française vient d'être émise depuis une cabine téléphonique à Tokyo ; la version arabe a été captée hier à 15 h 28 depuis Houston. 144 voix provenant de 67 pays ont été recensées en moins de 24 heures, répétant le même message, dans 34 langues différentes. L'analyse de ces voix, différentes les unes des autres, révèle qu'il s'agit de 144 individus, 92 hommes 52 femmes, dont on peut situer l'âge moyen entre 25 et 35 ans.

DOLOROSA HACHÉ. Cela conforte la théorie de Valéry. Il nous l'a encore répétée il y a quelques jours. Nous faisons face à une organisation dirigée, opérée et activée par une jeunesse ramifiée au-delà des frontières. En ce sens, il aurait tendance à privilégier la piste *Tintoret*.

VINCENT CHEF-CHEF. Valéry se trompe. Le contenu de ces messages est lié à la piste islamiste et confirme la mise en place d'un attentat à l'arme chimique. « Secteur de la mer Baltique. Livraison du matériel. » On ne peut pas être plus clair.

CHARLIE ELIOT JOHNS. À ce stade, rien ne nous permet d'affirmer avec certitude que telle piste est réelle et telle piste est fausse.

VINCENT CHEF-CHEF. Il n'y a pas de piste *Tintoret* : c'est un leurre.

CHARLIE ELIOT JOHNS. On ne sait pas ! On sait par contre qu'il existe une organisation qui brouille les cartes en entrelaçant deux pistes : une vraie, une fausse. La fausse protège la vraie. Soit nous sommes face à des islamistes intégristes, soit nous sommes face à des anarchistes. Soit nous sommes face à un ennemi extérieur, soit nous sommes face à un ennemi intérieur. Dans les deux cas, l'implication d'individus très jeunes est avérée.

VINCENT CHEF-CHEF. Huit mois pour en arriver là !

CHARLIE ELIOT JOHNS. L'équipe qui nous remplace y verra plus clair.

VINCENT CHEF-CHEF. On va leur laisser un vrai chantier !

CHARLIE ELIOT JOHNS. Il est temps pour nous de partir !

DOLOROSA HACHÉ. On a quatre jours devant nous, on peut encore trouver !

CHARLIE ELIOT JOHNS. Aucune piste ne pourra être confirmée tant que le décryptage des messages chiffrés que nous avons interceptés ne sera pas terminé. Tout dépend donc de Valéry.

VINCENT CHEF-CHEF. Justement il est où, Valéry ?

CHARLIE ELIOT JOHNS. Il est enfermé dans sa chambre et tente de casser le code avant notre départ.

VINCENT CHEF-CHEF. Il ne réussira pas. Il y a deux nuits, je ne dormais pas, je l'ai entendu marmonner, comme une prière, ni en anglais ni en français, peut-être du russe, je ne sais pas ; il était dans le jardin et parlait aux statues. Je lui ai demandé où il en était, il m'a dit : « Plus le problème est insoluble, plus on connaît la réponse. » « Alors tu as trouvé !? » je lui ai demandé. Il a souri, il a dit : « Ce n'était pas ce que je cherchais ! » Il ne réussira pas !

DOLOROSA HACHÉ. D'autres messages ont été captés cette nuit. Écoutons-les.

> VOIX DE FEMME. 48 50 16 07 – 2 18 32 21 / 40 44 19 36 – 74 01 21 95 / 51 29 08 00 – 0 09 24 71 / 45 23 23 05 – 11 49 44 15 / 59 55 28 43 – 30 15 38 33 / 52 29 42 62 – 13 20 02 11 / 35 39 25 40 – 139 43 42 62 / 45 30 42 22 – 73 37 20 12.

Entre Blaise Centier.

BLAISE CENTIER. Désolé… Je vais vous demander d'interrompre un instant votre travail. Je dois vous parler.

Temps.

CHARLIE ELIOT JOHNS. Qu'est-ce qui se passe ?

BLAISE CENTIER. Il y a eu un incident.

Temps.

CHARLIE ELIOT JOHNS. Quoi ?

VINCENT CHEF-CHEF. L'attentat a eu lieu !

BLAISE CENTIER. Mais non !

CHARLIE ELIOT JOHNS. Alors quoi ?

Long silence.

DOLOROSA HACHÉ. Parle !

BLAISE CENTIER. Valéry s'est enlevé la vie avant-hier durant la nuit.

CHARLIE ELIOT JOHNS. Quoi ?

DOLOROSA HACHÉ. Je le savais, je le savais !

BLAISE CENTIER. Valéry s'est enlevé la vie avant-hier durant la nuit !

VINCENT CHEF-CHEF. Qu'est-ce que tu racontes ? Je lui ai parlé dans le jardin, avant-hier durant la nuit…

BLAISE CENTIER. Il a dû se tuer tout de suite après t'avoir parlé !

VINCENT CHEF-CHEF. C'est du délire… !

CHARLIE ELIOT JOHNS. Je ne comprends pas !

VINCENT CHEF-CHEF. Il avait l'air très bien !

DOLOROSA HACHÉ. Pourquoi tu ne nous as rien dit !

BLAISE CENTIER. C'étaient les ordres !

DOLOROSA HACHÉ. De quoi tu parles ! Il ne reste plus que quatre jours ! Quels ordres ?

CHARLIE ELIOT JOHNS. Je ne comprends pas ! Pourquoi il a fait ça ?

DOLOROSA HACHÉ. C'était ton ami ! Il me l'a dit ! Quels ordres ?

BLAISE CENTIER. Bon ! On n'est pas là ni pour parler de nos vies et encore moins pour comprendre celle des autres. On compte les jours depuis des jours pour pouvoir enfin se barrer et ne plus jamais avoir à se revoir ! Si Valéry s'est enlevé la vie six jours avant son départ, ça ne concerne que Valéry. Les raisons, folie, dépression ou quoi que ce soit d'autre, ne concernent que Valéry !

CHARLIE ELIOT JOHNS. O.K.! Quelles consé-quences son suicide aura-t-il sur nous ?

BLAISE CENTIER. C'est précisément là l'em-merde !

CHARLIE ELIOT JOHNS. C'est-à-dire ?

BLAISE CENTIER. La haute direction est convaincue qu'il existe un lien entre les messages captés cette nuit liés au trafic de produits chimiques sur la mer Baltique, l'éventuel attentat que nous tentons de déjouer et le suicide de Valéry. Il y aura donc une enquête.

CHARLIE ELIOT JOHNS. C'est-à-dire ?

BLAISE CENTIER. C'est-à-dire que nous avons un sacré problème.

CHARLIE ELIOT JOHNS. C'est-à-dire ?

BLAISE CENTIER. C'est-à-dire que je tiens entre les mains une note de service du bureau du secrétariat d'État à la Défense et que je n'ai aucune idée de ce qui va nous arriver dans quatre jours !

CHARLIE ELIOT JOHNS. Dans quatre jours, on part d'ici, voilà ce qui va nous arriver !

BLAISE CENTIER. Je nous le souhaite sincèrement, mais tu me permettras d'en douter parce qu'ils nous ont déjà envoyé un remplaçant ! *(À travers l'intercom :)* Monsieur Ja… Putain merde ! C'est quoi son nom… Monsieur Szymanowski, je vous prie de bien vouloir nous rejoindre.

Clément entre dans la salle.

BLAISE CENTIER. Clément Szymanowski, le remplaçant de Valéry Masson au poste de cryptanalyste – cellule francophone – dans le cadre de l'opération Socrate.

CHARLIE ELIOT JOHNS. Ce n'est pas vrai ! Je rêve ! D'où il sort, celui-là ?

BLAISE CENTIER. Assoyez-vous… à partir de là, je n'en sais pas plus que vous !
(Il ouvre une enveloppe dont il déplie les bords.)
Assoyez-vous. C'est la chaise du cryptanalyste, vous êtes le cryptanalyste, oui ou merde ?… Assoyez-vous !

Clément s'assoit.

5. Présentations

Silence.

BLAISE CENTIER. Bon. *(Lisant :)* « Note de service du 20 décembre. Bureau du secrétariat d'État à la Défense pour la cellule francophone – opération Socrate. Objet : Décès de Valéry Masson. Nécessité absolue de mener une enquête sur les circonstances entourant la mort de Valéry Masson. Le départ de la base des membres actuels de la cellule francophone, initialement prévu au 23 décembre, est donc suspendu, et la mission prolongée pour une durée indéterminée. Objectif : clarifier les circonstances qui ont poussé Valéry Masson à s'enlever la vie. Méthode : fouiller le dossier de Valéry Masson. Ne rien négliger. Fin. Action immédiate. »

Très long silence.

CHARLIE ELIOT JOHNS. Depuis huit mois, personne ne sait que nous sommes là, personne ne sait que cet endroit existe, personne ne sait ce que nous faisons, pas même nos familles, personne, et on nous impose de prolonger notre mission ! Encore un peu, on nous souhaiterait joyeux Noël ! Il me fait chier Valéry, là, il me fait chier !

VINCENT CHEF-CHEF. Moi je suis content. Je veux dire, moi je suis content. Je suis désolé, mais je suis content ! Je n'avais aucune envie de partir. Je suis halluciné pour Valéry, mais je veux finir le travail.

DOLOROSA HACHÉ. Valéry n'a rien laissé ? Pas de lettre, rien ?

BLAISE CENTIER. Si. *(À travers l'intercom :)* Tu peux envoyer.

Vidéo. Valéry Masson à l'écran.

> VALÉRY MASSON. MÉMO À LA CELLULE FRANCOPHONE. SI JAMAIS VOUS VOULEZ L'AIDE D'UN CRYPTANALYSTE POUR LES JOURS QUI VOUS RESTENT À PASSER DANS CET ENDROIT, FAITES APPEL À CLÉMENT SZYMANOWSKI. IL EST LE SEUL QUI SOIT EN MESURE DE VOUS AIDER. BONNE CHANCE.

DOLOROSA HACHÉ. Comment s'y est-il pris pour se tuer ?

BLAISE CENTIER. Il a avalé le contenu d'une boîte de stimulants cardiaques. Et descendu deux bouteilles de vodka. Le cœur lui a littéralement explosé dans la poitrine.

CHARLIE ELIOT JOHNS. Je ne comprends pas! Qu'est-ce qui lui a pris?

BLAISE CENTIER. C'est la question à laquelle on nous demande de répondre. Nous n'avons pas le choix : la menace d'attentat est réelle et elle est carrément démoniaque! Le suicide de Valéry confirme l'imminence d'une tempête et tout indique que nous serons pris dedans, parce qu'il faut bien que quelqu'un tente d'empêcher que *ça* arrive et ce quelqu'un, putain de bordel de merde, c'est nous! C'est chiant, c'est emmerdant, je suis d'accord avec toi, mais c'est comme ça! C'est nous! Vous n'avez pas le choix! Vous connaissiez les conditions, vous avez été mis au courant des risques et vous les avez acceptés. C'est comme ça; alors mettons-nous au travail! Plus vite on trouvera, plus vite on partira! Pour répondre à la question «pourquoi Valéry s'est-il suicidé», il faut découvrir ce qu'il a découvert. Monsieur Szymanowski est cryptographe, ancien élève de Valéry Masson, il sécurise aujourd'hui le système d'exploitation de la Banque centrale, imaginez-vous. Dolorosa Haché est en charge des traductions; elle maîtrise l'anglais, l'espagnol, le chinois, le japonais, le finnois, le danois, l'allemand, l'italien, le persan et je ne sais plus très bien quoi aussi, oui, le russe et d'autres langues barbares comme le sanskrit et le grec. Charlie Eliot Johns est chercheur ingénieur en techniques d'écoute et d'audiosurveillance ; Vincent Chef-Chef est spécialiste en toutes sortes de saloperies : hacker, cracker, root kit, spoofing, phishing, scam, virus, cheval de Troie, spywares. Et moi ? Eh bien moi je suis le chef.

CLÉMENT SZYMANOWSKI. Je ferai tout ce qui est en mon pouvoir pour faire avancer le travail.

BLAISE CENTIER. On l'espère ardemment, imaginez-vous donc !

CLÉMENT SZYMANOWSKI. Je vais avoir besoin de l'ordinateur de Valéry.

BLAISE CENTIER. Ce sera votre première emmerde. Il est impossible à ouvrir. Les ingénieurs du centre ont tout essayé. Valéry a tout reformaté. Il a même sécurisé les vis.

Blaise allume l'ordinateur. Le visage de Valéry apparaît.

VALÉRY MASSON. IDENTIFICATION : NOM ET PRÉNOM.

BLAISE CENTIER. Masson Valéry. *(L'ordinateur s'éteint.)* Voilà !

VINCENT CHEF-CHEF. Le système de sécurité est muni d'un protocole de reconnaissance vocale. Il faut être Valéry Masson pour dire les mots

«Masson Valéry». Je pourrais casser le système en deux minutes.

CLÉMENT SZYMANOWSKI. La moindre tentative d'effraction affecterait la mémoire de l'ordinateur.

VINCENT CHEF-CHEF. Pas nécessairement.

CLÉMENT SZYMANOWSKI. Je peux ?

Tonalité. Blaise décroche.

BLAISE CENTIER. Tout à l'heure. *(Au téléphone :)* Tu peux nous connecter. *(Il raccroche.)* Suite aux messages interceptés cette nuit, une vidéoconférence entre la Direction générale des opérations et les cellules arabe, asiatique, hispanique, britannique et la nôtre a été programmée ce matin. Un agent des services secrets polonais y fera son rapport sur cette histoire de trafic de produits chimiques. Préparez-vous.

CLÉMENT SZYMANOWSKI. L'urgence ne serait-elle pas plutôt ici ?

BLAISE CENTIER. L'urgence est dans la procédure ! Cessez de discuter et installez-vous !

Ils s'installent.

6. Vidéoconférence

En circuit fermé avec d'autres cellules.

VOIX 1. Network secured. Listening and information centers 1, 2, 3, 4 and 5 connected. Audio and video fit authorized.

Vidéoconférence entre les cinq centres d'écoute et d'information et la Direction générale.

DIRECTEUR. Our analysis of this information confirms the existence of a terrorist organization specialized in chemical warfare...

DOLOROSA HACHÉ. Nous confirmons l'existence d'une entreprise terroriste à base d'armes chimiques...

DIRECTEUR. ... whose ultimate aim is an attack on a site we haven't yet been able to identify, most likely a Western city.

DOLOROSA HACHÉ. ... visant une ville occidentale.

DIRECTEUR. The group, which apparently doesn't have a name, is led by a mastermind called Ali Al Lybie.

DOLOROSA HACHÉ. Ce groupe est dirigé par un idéateur qui se nomme Ali Al Lybie.

DIRECTEUR. We're going to patch in our agent in Warsaw.

DOLOROSA HACHÉ. On va écouter notre agent en poste à Varsovie.

AGENT POLONAIS. Przekazanie towaru nastapi na Baltyku.

DOLOROSA HACHÉ. Le transfert de la marchandise aura lieu sur la Baltique.

AGENT POLONAIS. Dokladnie 5 kilometrow od portu w Gdyni.

DOLOROSA HACHÉ. À cinq kilomètres du port de Gdynia.

AGENT POLONAIS. Zawartosc przesylki to bakterie waglika.

DOLOROSA HACHÉ. Le contenu du colis : bactéries d'anthrax.

AGENT POLONAIS. Trasa przesylki: Litwa…

DOLOROSA HACHÉ. Le colis en provenance de la Lituanie…

AGENT POLONAIS. … potem wlasnie Gdyni, gdzie przesylke odbieraj oplaceni przemytnicy, nastepnie oni przekazuja przesylke grupie pod wodza Alli Ellibi.

DOLOROSA HACHÉ. … sera récupéré par des passeurs qui devront le transférer au groupe d'Ali Al Lybie.

AGENT POLONAIS. Z naszych informacji wynika, ze przesylka ma byc dostarczona o godzinie 1-ej w nocy.

DOLOROSA HACHÉ. La marchandise devrait être livrée à 1 heure du matin.

AGENT POLONAIS. A po calej akcji ci posrednicy wlasnie w Gdyni maja byc…

DOLOROSA HACHÉ. Les passeurs seront probablement…

AGENT POLONAIS. … zlikwidowani.

DOLOROSA HACHÉ. … liquidés.

CELLULE ASIATIQUE. Ari Aribai tte namae wa
kakunin saretanoka ?

DOLOROSA HACHÉ. Tokyo. Le nom « Ali Al
Lybie » a-t-il été authentifié ?

DIRECTEUR. No…

DOLOROSA HACHÉ. Non…

CELLULE ARABOPHONE. Ma m'akkadiin bé aya
chghlé ?

DOLOROSA HACHÉ. Amman. Rien n'a été
identifié ?

CELLULE ARABOPHONE. Amm taamlo maa kel
hel ossa, ossa séyissiyéh !

DOLOROSA HACHÉ. C'est une décision politique !

CELLULE ARABOPHONE. El Machkal el mehem,
houwé bekoun eno badkoun taamlo bel arab wa'l
mousilmin, assés el machékil el alaam ! Ali el
Lybie ktir hayin !

DOLOROSA HACHÉ. La Direction générale subit
des pressions. Ali Al Lybie sonne assez arabe pour
plaire aux Occidentaux !

CELLULE ANGLOPHONE. It's a fact that the majority of terrorist attacks taken in the last fifteen years were carried out by Islamic extremists, with no offense of course for my African and Islamic friends.

DOLOROSA HACHÉ. Londres. C'est un fait que les attentats terroristes sont perpétrés par des activistes islamistes. Nous concevons que ce soit difficile pour nos amis musulmans, mais c'est la réalité !

CELLULE HISPANIQUE. ¿ Pero por qué la dirección general sigue únicamente la vía de Ali Al Lybie ?

DOLOROSA HACHÉ. Buenos Aires. Qu'est-ce qui pousse la Direction générale à croire que « Ali Al Lybie » soit une piste valable ?

VINCENT CHEF-CHEF. Nous avons capté cette nuit même 144 fois le même message annonçant une livraison de produits chimiques sur la mer Baltique.

DIRECTEUR. It's obviously not a coincidence.

DOLOROSA HACHÉ. Il ne peut s'agir d'une coïncidence.

CELLULE ASIATIQUE. Furansu go chiimu no angou kaidokusha no jisatsu genin wa wakattanoka ?

DOLOROSA HACHÉ. Tokyo. Comment la Direction générale compte-t-elle agir ?

DIRECTEUR. To prevent delivery at all costs by focusing on the traffickers and attempting to intercept them offshore.

DOLOROSA HACHÉ. Empêcher la livraison en se concentrant sur les trafiquants.

DIRECTEUR. It's risky, but I don't think we have a choice.

DOLOROSA HACHÉ. C'est risqué, mais nous n'avons pas le choix.

VINCENT CHEF-CHEF. Nous sommes donc certains que la piste islamiste est la bonne.

DIRECTEUR. Positif.

CHARLIE ELIOT JOHNS. Que fait-on avec la piste *Tintoret*?

DIRECTEUR. It's been dropped.

DOLOROSA HACHÉ. Abandonnée.

BLAISE CENTIER. Pourquoi faut-il l'abandonner?

DIRECTEUR. It was a red herring.

DOLOROSA HACHÉ. Fausse piste.

CELLULE ASIATIQUE. Honbu wa nanto itte runnda?

DOLOROSA HACHÉ. Tokyo. Pour quelle raison le cryptanalyste de la cellule francophone s'est-il suicidé?

DIRECTEUR. We believe it's connected to the operation we're trying to prevent.

DOLOROSA HACHÉ. Nous pensons que c'est en lien avec ce que nous tentons de déjouer.

DIRECTEUR. We'll reconnect after the interception operation. In the meantime, we're going to program the computers with new keywords to try to flush out Al Lybie. My assistant will dictate them to you. Good luck, everybody.

DOLOROSA HACHÉ. On va attendre l'opération d'interception de la livraison avant de se reconnecter. On va reconfigurer les ordinateurs avec une nouvelle liste de mots sensibles pour tenter d'approcher Al Lybie. Je laisse mon adjoint vous les dicter.

DIRECTEUR. Merry Christmas, everybody.

DOLOROSA HACHÉ. Joyeux Noël tout de même.

Tous sortent. Sauf Clément. Il allume l'ordinateur. Vidéo de Valéry.

> VALÉRY MASSON. IDENTIFICATION : NOM ET PRÉNOM.

CLÉMENT SZYMANOWSKI. Szymanowski Clément.

> VALÉRY MASSON. MOT DE PASSE, MONSIEUR SZYMANOWSKI.

CLÉMENT SZYMANOWSKI. Je ne connais pas le mot de passe, monsieur Masson.

Clément prend l'ordinateur et sort.

7. L'ange n'est pas seul

Une voix brouillée surgit.

VOIX MASCULINE. L'ange n'est pas seul !
Je répète : « L'ange n'est pas seul !
Le vent se lève
Les poètes ne marchent pas avec des parapluies ! »
Je répète : « Les poètes ne marchent pas avec des parapluies !
La porte est dans le plafond !
Il y a donc une clé ! »
Je répète : « Il y a donc une clé ! »

La voix s'estompe.

8. Polyphonie vivante de vies humaines

Chacun seul dans sa chambre.

DANS LA CHAMBRE DE DOLOROSA HACHÉ

Dolorosa ouvre la boîte d'un test de grossesse. Et lit la notice.

DOLOROSA HACHÉ. Dans tous les cas, pour obtenir le résultat le plus précis possible de l'estimation de l'âge de la grossesse, il est préférable de tester avec les premières urines du matin…

DANS LA CHAMBRE DE VINCENT CHEF-CHEF

Vincent Chef-Chef dans sa chambre. Maquette d'une voiture à moitié recomposée. Une pièce tombe.

VINCENT CHEF-CHEF. Putain!

DANS LA CHAMBRE DE DOLOROSA HACHÉ

Dolorosa revient des toilettes. Elle attend le résultat du test.

DANS LA CHAMBRE DE BLAISE CENTIER

Blaise est au téléphone.

BLAISE CENTIER. Non / Je ne pourrai pas être présent à cette rencontre, je ne pourrai pas être présent au procès, je ne pourrai pas être présent à quoi que ce soit / Je ne peux pas vous dire pourquoi / Ça sert à quoi de vous faire une procuration alors? Ça sert à quoi? Vous allez arrêter de me faire chier! / Eh bien je perdrai tout ce que j'ai, qu'est-ce que vous voulez que je fasse? / Vous me dites ça comme si je faisais exprès, comme si ça me faisait plaisir de perdre ma maison, comme si ça me faisait plaisir que ma femme soit partie, comme si ça me faisait plaisir d'être à moi tout seul un cliché lamentable et

pathétique de ce qu'on peut appeler une vie ratée ! /
Je ne peux pas vous dire pourquoi ! / Encore moins
où ! / Qu'elle raconte ce qu'elle veut, je l'emmerde,
putain ! / Je l'emmerde ! Putain ! / C'est justement
pour ça que j'ai fait appel à vous ! C'est votre
boulot ! / C'est vous l'avocat, ce n'est pas moi !
(Il raccroche.)
Putain ! Merde ! Fuck !

DANS LA CHAMBRE DE DOLOROSA HACHÉ

*Test positif. Dolorosa s'écroule. Clément entre
dans sa chambre. Dolorosa sursaute.*

CLÉMENT SZYMANOWSKI. Pardon. Soyez sans
crainte. Je me suis perdu. Blaise Centier ?

DOLOROSA HACHÉ. C'est la chambre d'en face.

CLÉMENT SZYMANOWSKI. Je vous remercie.
Je vous salue.

Il sort.

DANS LA CHAMBRE DE CHARLIE ELIOT JOHNS

*Charlie Eliot Johns en contact audio vidéo avec
son fils Victor.*

CHARLIE ELIOT JOHNS. Salut, Victor.

VICTOR ELIOT JOHNS. Salut, ça va ? J'ai plein de
choses à te raconter aujourd'hui ! Pour commencer
j'ai reçu mes résultats d'examens là, que je t'avais
parlé, puis ça va super bien, je suis dans la moyenne
partout, j'ai 85, 90, même en art j'ai fait un projet

44

sur les perspectives puis j'ai eu 85 pour cent, je n'ai jamais eu ça en art ! Je me sens super bien là, j'ai super hâte en plus qu'on aille au voyage, je compte les jours, il reste juste une semaine là... J'ai hâte de te voir là... J'ai parlé avec mes amis comme où est-ce qu'ils allaient pendant les vacances puis eux autres ils me disent qu'ils vont à Cuba au Mexique puis moi je vais à l'île Maurice tsé... l'île Maurice ! Personne savait c'était où ; tout le monde était comme « c'est quoi ça ? » Je leur ai montré le paysage sur Google Earth, c'est tellement beau encore les plages, l'eau, l'océan, vert, bleu, toutes les couleurs... en plus j'ai regardé là, on peut aller faire du bateau pendant une journée, on peut partir, on pêche on peut manger des cigales de mer, de la pieuvre... des cigales de mer c'est quoi ça des cigales de mer... ? Ça a de l'air bon... on peut manger du homard frais pêché... Ça va être fou !... en plus à l'hôtel on peut faire comme... du parachute là, tsé on s'attache à un bateau puis là le bateau part puis là on est dans le parachute on monte dans le ciel puis là on voit tout puis... Tu tsé c'est dix-huit ans là... j'ai regardé c'qui fait que je pourrais pas le faire tout seul là... on va être obligé de le faire ensemble. Je capote là ! Puis... ben c'est ça là... j'ai vraiment hâte de te voir là...

CHARLIE ELIOT JOHNS. Moi aussi !...

VICTOR ELIOT JOHNS. C'est ça là... mais... tsé maman m'a dit que tu voulais me parler de quelque chose ?

CHARLIE ELIOT JOHNS. Oui.

VICTOR ELIOT JOHNS. Tu voulais me parler ?

CHARLIE ELIOT JOHNS. Oui… Voilà. Je vais avoir un contretemps, Victor…

VICTOR ELIOT JOHNS. Quoi ?… Quoi ?

CHARLIE ELIOT JOHNS. Je ne pourrai pas rentrer comme prévu pour les vacances de Noël.

VICTOR ELIOT JOHNS. … O.K…

CHARLIE ELIOT JOHNS. … Je n'ai pas le choix, Victor… C'est vraiment hors de ma volonté… je t'assure…

VICTOR ELIOT JOHNS. O.K…

CHARLIE ELIOT JOHNS. Maintenant ça ne change rien pour le voyage, tu comprends ? Sauf qu'on ne le fera pas tout de suite… mais plus tard… Pour les vacances de Pâques…

VICTOR ELIOT JOHNS. Je ne comprends pas là !

CHARLIE ELIOT JOHNS. … Je suis désolé, Victor.

VICTOR ELIOT JOHNS. Je ne comprends pas !…

CHARLIE ELIOT JOHNS. Victor !… Écoute-moi !

VICTOR ELIOT JOHNS. Je ne comprends pas, tu m'avais promis !

CHARLIE ELIOT JOHNS. … Je sais…

VICTOR ELIOT JOHNS. Tu m'avais promis !

CHARLIE ELIOT JOHNS. … Je sais mais je n'ai pas le choix, Victor, ça ne change rien à la promesse que je t'avais faite ! Je comprends ta peine et moi aussi j'ai de la peine !… Victor, je comprends ce que tu ressens… je suis désolé… Je sais que tu as travaillé en plus très fort à l'école comme je te l'avais demandé ! Tu as tenu ta promesse ! Je t'en félicite vraiment, Victor, et moi aussi j'ai hâte de te revoir, Victor, mais je n'ai pas le choix !… C'est simplement remis, ce n'est pas annulé, Victor, c'est remis !… Tu comprends ? Tu comprends ce que je te dis quand je te dis que c'est simplement remis ?

VICTOR ELIOT JOHNS. Pourquoi ? Pourquoi ?

CHARLIE ELIOT JOHNS. Je ne peux pas te dire pourquoi, Victor ! Je ne peux pas !

VICTOR ELIOT JOHNS. Si tu ne peux rien dire, ferme ta gueule ! Ferme ta câlisse de gueule !

CHARLIE ELIOT JOHNS. Victor ! … Victor ! Victor, s'il te plaît ! … Victor, please, it's not easy for nobody ! … Victor, I am talking to you !

VICTOR ELIOT JOHNS. Fuck you ! Fuck you !

CHARLIE ELIOT JOHNS. Victor !

VICTOR ELIOT JOHNS. I don't want to talk to you anymore ! Anymore ! I don't want to talk to you anymore !

CHARLIE ELIOT JOHNS. Je comprends, Victor, mais je t'assure que c'est un contretemps. Ce n'est pas comme si j'étais mort ! C'est simplement remis de quelques semaines, c'est tout ! Tu comprends ? Tu comprends ?

VICTOR ELIOT JOHNS. J'aimerais mieux que tu meures ! Ce serait clair ! J'aurais plus de père, ce serait clair ! Au moins tu serais mort !

CHARLIE ELIOT JOHNS. Je suis désolé, Victor ! Je suis désolé !

VICTOR ELIOT JOHNS. Au moins ce serait clair ! Fuck you !

CHARLIE ELIOT JOHNS. Victor ! Victor ! Victor !

DANS LA CHAMBRE DE BLAISE CENTIER

Clément et Blaise en face de l'ordinateur de Valéry.

VALÉRY MASSON. IDENTIFICATION : NOM ET PRÉNOM.

CLÉMENT SZYMANOWSKI. Allez-y.

BLAISE CENTIER. Centier Blaise.

Le visage de Valéry.

VALÉRY MASSON.
À L'INSTANT MINOTAURE
N'INCRIMINE NI CIEL NI MER
POUR N'INCRIMINER NUL BLEU
NI PRUSSE NI OUTREMER

48

AUX ASTRES QUI CHUTENT PROMETTRE
LE SILENCE
QUI VOUDRAIT
À L'INSTANT MINOTAURE
TRAHIR LE CIEL
SON SANG CYAN
QUAND LE CIEL EST SANG DE TON
SANG
CHAIR DE TA CHAIR.

L'ordinateur s'éteint.

BLAISE CENTIER. Quel enfoiré ! C'est tout ce qu'il trouve à me dire !

CLÉMENT SZYMANOWSKI. Pouvez-vous demander à Vincent Chef-Chef de me retrouver chez Charlie Eliot Johns ?

Clément sort de la cellule.

DANS LA CHAMBRE DE DOLOROSA HACHÉ

Le téléphone sonne.

DOLOROSA HACHÉ. Oui. Merci. *(Temps.)* Salut / Je ne sais pas / Je n'aurais pas dû accepter / Je ne sais pas / Je viens d'apprendre une mauvaise nouvelle / Je n'ai pas envie d'en parler / Oui / C'est définitif / Incompressible / J'ai accepté / En échange d'un travail / Traduction / Je te dirai plus tard / J'attendais que ça soit confirmé / Je ne sais pas / Vivre est une punition que je m'inflige à moi-même / Les nuits sont insupportables / Je fais toujours ces rêves / Je sais / Il aura fallu tout ça pour que tu te rapproches de moi / Je t'embrasse / C'est ridicule ! / Je t'embrasse papa / Voilà. Tu es content ? / Papa ! Papa / Toi aussi.

(Elle raccroche.)

Toi aussi.

Elle s'empare d'un couteau.

DANS LA CHAMBRE DE CHARLIE ELIOT JOHNS

Clément et Vincent Chef-Chef dans la chambre de Charlie Eliot Johns.

VALÉRY MASSON. IDENTIFICATION : NOM ET PRÉNOM.

CHARLIE ELIOT JOHNS. Johns Charlie Eliot.

VALÉRY MASSON.
À L'INSTANT MINOTAURE
PASSANT, SASSANT, CIEL CYAN, CIEL SABLE
VA-ET-VIENT
CIEL-À-CIEL
SE PONCENT LES LAMELLES DE LA JOIE.

L'ordinateur s'éteint.

CHARLIE ELIOT JOHNS. Il est devenu fou. Il n'y a pas d'autre explication !

Vincent appuie sur le bouton de démarrage. Le visage de Valéry.

VALÉRY MASSON. IDENTIFICATION : NOM
ET PRÉNOM.

VINCENT CHEF-CHEF. Chef-Chef Vincent.

VALÉRY MASSON.
C'ÉTAIT IL Y A LONGTEMPS
L'ENFANT ALLAIT
ORIFLAMME DE SON OMBRE À
L'INSTANT MINOTAURE
À L'INSTANT MINOTAURE
IL ALLAIT ENFANT
DE SON OMBRE ORIFLAMME
DE SON OMBRE ORIFLAMME.

L'ordinateur s'éteint.

VINCENT CHEF-CHEF. C'est quoi cette connerie !

CLÉMENT SZYMANOWSKI. C'est la poésie de
son grand-père Evgueni Kriapov. Valéry en a fait
la traduction.

CHARLIE ELIOT JOHNS. Kriapov ? C'est russe !

CLÉMENT SZYMANOWSKI. Ukrainien. Valéry
Masson est d'origine ukrainienne, vous ne le
saviez pas ?

CHARLIE ELIOT JOHNS. Non !

DANS LA CHAMBRE DE BLAISE CENTIER

Blaise au téléphone.

BLAISE CENTIER. Il n'avait personne d'autre
que son fils / Il faut bien lui apprendre que son

père est mort / Anatole / Anatole Masson / Mais essayez aussi sous le nom de sa mère / Sorow / Anatole Sorow / Je veux le lui annoncer moi-même / Non, le corps de Valéry restera à la morgue / Il y a des procédures, ce n'est pas pour rien / Tant que l'on n'aura pas averti le fils, on ne va pas enterrer le père.

Il raccroche.

DANS LA CHAMBRE DE DOLOROSA HACHÉ

Tentative de suicide de Dolorosa. Clément intervient.

CLÉMENT SZYMANOWSKI. Non ! Non !

DOLOROSA HACHÉ. Arrêtez ! Partez ! Arrêtez !

CLÉMENT SZYMANOWSKI. J'ai besoin de vous !

DOLOROSA HACHÉ. Partez ! Partez !

CLÉMENT SZYMANOWSKI. J'ai besoin de votre voix ! Écoutez ! Regardez !

DOLOROSA HACHÉ. Partez ! Vous ne sauvez rien ! Vous ne sauvez rien !

CLÉMENT SZYMANOWSKI. J'ai besoin de vous ! Je sais, sans en comprendre la raison, que nous devions nous rencontrer ! Nous le devions ! Vous avez connu Valéry ! Vous et moi avons cela en commun. Sa mort nous bouleverse car sa mort est un geste de vie. Il y a quelque chose à sauver. Il y a quelqu'un à sauver. Un innocent. Quelqu'un, que l'on ne connaît pas, qui ne le soupçonne pas lui-même, est en danger, viscéralement sous l'œil opaque de cette décade ! Il appelle sans appeler, il invoque sans invoquer et seuls vous et moi pouvons l'entendre parce que Valéry s'est donné la mort ! Parce qu'il a ressenti que seule la violence de sa disparition saurait sonner à nos oreilles l'alarme pour nous faire comprendre que le monde est sur le point de chuter ! J'ai besoin de vous !

Clément appuie à nouveau sur le bouton de démarrage.

VALÉRY MASSON. IDENTIFICATION : NOM ET PRÉNOM.

CLÉMENT SZYMANOWSKI. Dites votre nom. Allez-y.

DOLOROSA HACHÉ. Haché Dolorosa.

VALÉRY MASSON.
À L'INSTANT MINOTAURE
L'ORIENT BLEU D'UNE PERLE AU COIN
DE L'ŒIL SURGIE
ET CE BLEU BU D'UN TRAIT QUI
EFFONDRE LES PHRASES.

CLÉMENT SZYMANOWSKI. L'ordinateur de Valéry est une grotte, un labyrinthe, un dédale, un gouffre, et pour des raisons que j'ignore, Valéry a gardé caché quelque chose qu'il me demande de découvrir. Valéry nous jette au cou la poésie comme un magique nœud coulant pour que nous

53

cessions de jouer avec toute cette monstrueuse machine. Regardez. Sans cesse l'image des choses bouge et se déplace et peut-être à partir de maintenant plus rapidement que jamais. C'est pour cela que nous devons jeter dans la bataille toute notre puissance. Malgré tout, Blaise Centier a raison. Il y a un démon et le démon n'est pas celui que l'on croit. Le jeter à la lumière sauvera la lumière. Personne ne doit nous en empêcher, personne ne doit nous en empêcher.

Clément sort.

9. La jeunesse

Des voix multiples. Jeunes. Enragées.
Une voix brouillée se détache.

VOIX D'ENFANTS. Vous allez mourir.

VOIX MASCULINE. La jeunesse a levé sur vous son front de taureau !

VOIX D'ENFANTS. Vous allez pleurer !

VOIX MASCULINE. Tremblez, pleurez !

VOIX D'ENFANTS. Tout sera perdu.

VOIX MASCULINE. La jeunesse a lancé contre vous ses cris d'oiseaux !
Tremblez, pleurez !

VOIX D'ENFANTS. Perdu !

VOIX MASCULINE. La jeunesse a creusé pour vous de profonds tombeaux !
Tremblez, hurlez, pleurez !

VOIX D'ENFANTS. Vous chercherez vos fils, vous ne les trouverez pas.

VOIX MASCULINE. Nulle pitié ! Nulle pitié !
Pleurez, pleurez !

Des voix en vagues, toujours jeunes, menaçantes.

10. Joyeux Noël

Sapin de Noël. Cadeaux.
Tous sauf Clément Szymanowski.
Blaise au téléphone.

BLAISE CENTIER. Monsieur Szymanowski, je vous demande de venir nous rejoindre immédiatement. Nous vous attendons tous ! / Nous avons des cadeaux de Noël à ouvrir et nous ne les ouvrirons pas tant que vous ne serez pas avec nous. / Parce que ce sont les ordres. / Je m'en fous ! Vous venez, vous déballez votre putain de paquet et puis nous retournerons tous travailler. *(Il raccroche.)* Il commence à m'emmerder sérieusement.

VINCENT CHEF-CHEF. On demande à un banquier de chercher un mot de passe dans l'ordinateur d'un cryptanalyste ! Je rêve !

BLAISE CENTIER. On n'a pas le choix !

VINCENT CHEF-CHEF. On a le choix ! C'est toi qui ne veux pas ! Par fidélité au message laissé par Valéry, on se retrouve avec un incompétent au pire moment de la mission !

DOLOROSA HACHÉ. Compétent ou pas, l'accès à cet ordinateur semble lui être personnellement réservé.

VINCENT CHEF-CHEF. Pourquoi ? Parce que ce sont les ordres, que c'est la procédure ?

BLAISE CENTIER. Si Valéry ne demande le mot de passe qu'à Clément, c'est qu'il suppose que Clément connaît le mot de passe.

VINCENT CHEF-CHEF. Ça fait une semaine qu'il le cherche !

CHARLIE ELIOT JOHNS. C'est le temps qu'il faut pour déverrouiller un ordinateur comme celui-là, tu le sais très bien !

VINCENT CHEF-CHEF. Comment peut-on faire confiance à cet homme quand c'est Valéry lui-même qui nous l'a recommandé alors que Valéry est soupçonné de complicité avec les terroristes !

BLAISE CENTIER. Valéry n'a jamais été soupçonné de complicité avec qui que ce soit !

VINCENT CHEF-CHEF. Blaise, j'ai besoin d'être mis en réseau avec l'ordinateur et je déjoue toutes les protections en moins de deux minutes !

BLAISE CENTIER. Non !

VINCENT CHEF-CHEF. Je vide tout le contenu du disque dur sur celui du centre, et on en aura le cœur net !

BLAISE CENTIER. Vincent, tu m'emmerdes ! Je ne te confierai pas l'ordinateur de Valéry !

VINCENT CHEF-CHEF. Alors qu'est-ce qu'on fait ? On continue à capter et analyser des messages qui nous racontent toujours la même chose ? On continue à tourner en rond ? On continue à chercher le sens caché des poèmes laissés par Valéry ? Qu'est-ce qu'on fait ?

BLAISE CENTIER. On travaille !

VINCENT CHEF-CHEF. On perd notre temps ! Depuis une semaine, on fouille tout le passé de Valéry ! Son dossier fait quatre caisses, des milliers de photos, des milliers d'heures d'écoute, et on sait qu'on ne trouvera rien parce qu'on sait que la réponse est dans l'ordinateur de Valéry.

BLAISE CENTIER. Je te l'accorde, mais depuis une semaine il s'agit de répondre à la question «pourquoi Valéry s'est-il suicidé ?». Pour cela, chacun a un travail bien précis à faire. Le tien consiste à chercher dans la vie de Valéry. Autre chose : je ne prendrai pas le risque de te permettre de rentrer en force dans l'ordinateur de Valéry !

VINCENT CHEF-CHEF. Pourquoi ?

BLAISE CENTIER. Parce que je suis responsable de cette mission et si les informations contenues dans l'ordinateur sont endommagées à cause d'un petit connard qui ne pense qu'à faire joujou avec la machine, je me retrouve avec un putain de problème sur les bras et j'ai assez d'emmerdes comme ça, je fais des rêves de plus en plus mauvais, des bombardements de plus en plus assourdissants, j'ai la tête comme ça, alors n'en rajoute pas et fais ce que je te dis ! Nous sommes devant la vie d'un homme et ce n'est pas rien ! Alors tu continues à fouiller pendant que Clément continue à chercher !

VINCENT CHEF-CHEF. O.K. Et si le téléphone sonnait, là, pour nous annoncer que l'attentat vient d'avoir lieu ! Qu'est-ce qui se passerait ? La veille de Noël, ce serait une date formidable ! Faire sauter Jésus, la Nativité, les soldes, les soirées de réveillon, les cadeaux et les grands restaurants ! Les boutiques ! Les métros ! Une crise dans la crise ! Des cadavres mélangés aux dindes farcies ! Si l'attentat se produisait là, pendant qu'on se parle, qu'est-ce que tu ferais ? Tu continuerais à fouiller la vie de Valéry ? Qu'est-ce que vous feriez ? On retournerait à nos vies en se disant : « Mince, on a raté ! On recommence ? » Qu'est-ce que tu dirais ?

Que c'étaient les ordres, que c'est la procédure ? Qu'est-ce que tu ferais ?

BLAISE CENTIER. La tête entre les mains, je me mettrais à pleurer ! Voilà ce que je ferais ! Rien ne pourra me consoler ! C'est justement la situation qui est la mienne ! Je décide, je choisis et j'assume, et vous obéissez !

VINCENT CHEF-CHEF. Tu ne décides plus rien, tu ne choisis plus rien et tous ici on fait semblant de t'obéir, Blaise ! Pardonnez-moi de le dire brutalement, mais tu n'as plus prise sur rien, ni sur la réalité, ni sur les priorités qu'exige de nous la situation !

BLAISE CENTIER. Je m'en fous, tu n'auras pas l'ordinateur de Valéry ! Si tu n'es pas content, tu n'as qu'à déposer une plainte.

VINCENT CHEF-CHEF. C'est fait ! Justement, c'est fait !

CHARLIE ELIOT JOHNS. Qu'est-ce qui est fait ?

VINCENT CHEF-CHEF. C'est fait ! La plainte ! C'est fait ! Je l'ai déposée ! J'ai déposé une plainte ! J'ai déposé une plainte contre toi ! *(Temps.)* Je ne peux pas accepter de rester à rien faire, à user mes capacités et mes moyens à la lecture de quelques papiers qui racontent la vie désastreuse de Valéry Masson ! On ne peut pas vivre trop longtemps sans victoire ! Toi, tu l'as eue cette victoire, vous tous vous l'avez eue, puisque vous êtes là où vous êtes, moi je la cherche encore ! Alors ce que tu me demandes est impossible ! Tu ne te rends pas compte ce que c'est pour moi ! Quand j'ai vu l'ordinateur de Valéry, quand tu l'as ouvert le jour où Clément est venu nous rejoindre, j'ai eu le sentiment étrange de rentrer à la maison, de retrouver l'espace de l'apesanteur parce que l'ordinateur de Valéry, pour moi, pour l'être que je suis, n'est pas seulement un ordinateur, c'est un océan, une architecture, une structure mentale ! Tu ne peux pas m'en empêcher, Blaise ! Personne ne pourra m'en empêcher. J'ai adressé hier à la Commission générale une demande pour que tu sois démis de tes fonctions de chef de la section francophone de l'opération Socrate et que je te remplace. Pour cela, sache que j'ai invoqué les intérêts supérieurs de la nation et ton manque de jugement explicable par le traumatisme d'avoir découvert le corps de Valéry qui, je crois, a été pour toi ce que toi tu es encore pour moi.

Entre Clément.

CLÉMENT SZYMANOWSKI. Je suis désolé !

VINCENT CHEF-CHEF. La Commission se réunit dans une semaine.

BLAISE CENTIER. Bon. La prochaine fois, monsieur Szymanowski, j'apprécierais que vous fassiez preuve de ponctualité. Nous nous étions entendus pour nous retrouver ici à minuit, il est minuit quinze.

CLÉMENT SZYMANOWSKI. Je suis désolé !

BLAISE CENTIER. Bon. *(Il ouvre une enveloppe, en sort un papier. Lisant :)* « À la cellule francophone. En ces temps où tous sont à la réjouissance, Dieu vous a voulus dans le combat contre les forces mauvaises. Vous êtes un exemple pour chacun de nous, une source d'inspiration. Au moment où nous célébrons l'avènement du Rédempteur, je veux, au nom de toute la direction, vous faire part de mon admiration et vous dire que nous pensons à vous au milieu de cette épreuve. Joyeux Noël à chaque membre de la cellule francophone. Colonel Standford, chef de la direction. »

Il débouche une bouteille de champagne. Il verse le champagne dans des verres.

Joyeux Noël. *(Il lève son verre.)* À la santé de ce monde que vous essayez si courageusement de sauver.

Ils boivent. Blaise sort.

CHARLIE ELIOT JOHNS. S'il faut que ce monde te ressemble, eh bien je souhaiterais pour ma part qu'il se termine, qu'il meure ! C'est ce qui peut lui arriver de mieux : qu'il aille à sa perte ! Qu'il devienne vestige ! Des êtres nouveaux prendront enfin notre place ; des êtres meilleurs que nous, des êtres qui nous oublieront, qui nous oublieront ! Qu'il ne reste rien, que des traces : pyramides vides, statues sans tête sans bras sans jambes et des fragments de musique atonale ! Kling klang ping tang ! *(Il lève son verre.)* Je bois à la santé des vieux. Ils étaient meilleurs que nous, même dans l'épreuve. Ils étaient meilleurs que nous ! Joyeux Noël !

Charlie sort.

VINCENT CHEF-CHEF. Où en êtes-vous, monsieur Szymanowski ?

CLÉMENT SZYMANOWSKI. Je crains que ce ne soit au-delà de mes compétences.

VINCENT CHEF-CHEF. Vous serez bientôt délivré. Joyeux Noël.

Vincent sort avec son cadeau. Clément reste seul avec Dolorosa.

CLÉMENT SZYMANOWSKI. Aidez-moi.

11. Douleur

CLÉMENT SZYMANOWSKI. Il ne reste qu'un pas avant d'ouvrir l'ordinateur de Valéry. Mais ce pas, je ne pourrai pas le faire seul. Je n'ai pas vu Valéry depuis longtemps, j'ai besoin de vous, car il me manque un mot.

DOLOROSA HACHÉ. Je ne vois pas comment je pourrais vous aider.

CLÉMENT SZYMANOWSKI. Valéry déformait-il un mot en particulier ?

DOLOROSA HACHÉ. Cela ne m'évoque rien.

CLÉMENT SZYMANOWSKI. Réfléchissez.

DOLOROSA HACHÉ. Valéry parlait très rarement. Il était au-dessus de la procédure.

CLÉMENT SZYMANOWSKI. Vous pouvez me faire confiance, Dolorosa ! Je crois que vous et Valéry avez été proches, bien plus proches, bien plus amis, bien plus amants. Vous avez aimé Valéry, c'est pour cela que je me permets de vous poser la question : y a-t-il eu, entre vous, un mot, un mot récurrent, un mot répété, souvent repris ?

DOLOROSA HACHÉ. Pourquoi ?

CLÉMENT SZYMANOWSKI. Parce que la singulière amitié qui nous unissait, Valéry et moi, était cousue tout entière aux mots, à leurs jeux, leurs calculs, leurs traductions en nombres, leurs métamorphoses en d'autres mots, parfois réels, parfois inventés, en tout cas toujours nouveaux, jamais pareils, qu'il nous fallait, tour à tour, trouver, chiffrer, déchiffrer, transmuer, rechiffrer, redéchiffrer, deviner pour former de nouvelles phrases. J'étais encore son étudiant et nous avions inventé entre nous une méthode de cryptage et de décryptage dont le principe consistait à marier savamment mathématique et poésie selon une

démarche très précise. Regardez. Voici les quatre
fragments poétiques que Valéry a laissés à chacun
d'entre vous. Je les ai remis dans l'ordre du
poème original tel que composé par son grand-
père Evgueni Kriapov. Maintenant, le voici sans
espaces ni accentuation.

ALINSTANTMINOTAURENINCRIMINENICIEL
NIMERPOURNINCRIMINERNULBLEUNIPRUS
SENIOUTREMERAUXASTRESQUICHUTENTP
ROMETTRELESILENCEQUIVOUDRAITALINST
ANTMINOTAURETRAHIRLECIELSONSANGCY
ANQUANDLECIELESTSANGDETONSANGCHA
IRDETACHAIRALINSTANTMINOTAURELORIE
NTBLEUDUNEPERLEAUCOINDELOEILSURGIE
ETCEBLEUBUDUNTRAITQUIEFFONDRELESPH
RASESALINSTANTMINOTAUREPASSANTSAS
SANTDECIELCYANCIELSABLEVAETVIENTCI
ELACIELSEPONCENTLESLAMELLESDELAJOI
ECETAITILYALONGTEMPSLENFANTALLAIT
DESONOMBREORIFLAMMEALINSTANTMINO
TAUREALINSTANTMINOTAUREILALLAITENF
ANTDESONOMBREORIFLAMMEDESONOMBRE
ORIFLAMME

Un bloc de 541 lettres. La série de chiffres 5.4.1
est une première clef. En partant du début du
bloc, compter 5 et extraire la lettre, puis compter
4 et extraire la lettre, puis compter 1 et extraire la
lettre, et recommencer l'opération autant de fois
que nécessaire. 162 lettres demeurent.

S TM A NI M NI N RP I IM N LE R EN R RA T
QU T PR T ES C IV A LI N NO E HI I ON C QU E
LE N TO G IR C RA T MI U OR B DU R UC E IL
I CE B NT Q FF E PH S NS M TA A NT A EC Y
IE L ET T LA S NC E ME D JO T IL N MP F AL
D NO O LA L TA N UR N NT T EI A NF E OM R
AM S MB I MM

Mises bout à bout, elles donnent accès à une suite
à première vue incohérente mais qui se trouve
être l'anagramme d'un second poème qui est
précisément le mot de passe que je dois trouver.

STMANIMNINRPIIMNLERENRRATQUTPRTES
CIVALINNOEHIIONCQUELENTOGIRCRATMIU
ORBDURUCEILICEBNTQFFEPHSNSMTAANT
AECYIELETTLASNCEMEDJOTILNMPFALDNO
OLALTANURNNTTEIANFEOMRAMSMBIMM

J'ai passé la semaine à reconstruire le programme
informatique d'après l'algorithme que nous avions
créé, Valéry et moi, pour transformer les textes
codés en textes clairs. Pour faire fonctionner cet
algorithme, il faut une variable, elle peut prendre
la forme d'une phrase, d'un nombre ou encore
d'un prénom, en tout cas elle doit appartenir à
une sphère qui m'est accessible. J'ai tout essayé :
les noms, les dates, les lieux, les romans, les
poètes et leurs poèmes que nous aimions, les
néologismes que nous avions inventés ensemble,
à l'endroit, à l'envers, mais rien ne fonctionne.
Je ne peux pas croire que Valéry ait oublié de

me laisser un indice pour trouver cette clef sans laquelle le déchiffrement serait impossible. Je crois alors qu'elle est entre vos mains et que la plaçant précisément entre vos mains, Valéry, à sa manière, cherchait à nous indiquer que nous devions nous approcher l'un de l'autre.

DOLOROSA HACHÉ. Clément… Vous saviez que Valéry avait eu un premier fils ?

CLÉMENT SZYMANOWSKI. Anatole. Anatole est son prénom. Mais je ne l'ai jamais rencontré, Valéry n'en parlait que très rarement.

DOLOROSA HACHÉ. La mère, qui était-elle ?

CLÉMENT SZYMANOWSKI. Il ne vous a rien dit ? Elle s'appelait Mary Rose Sorow.

DOLOROSA HACHÉ. Sorow. Chagrin en anglais.

CLÉMENT SZYMANOWSKI. Elle est morte, il y a très longtemps.

DOLOROSA HACHÉ. Alors le chagrin est mort et la douleur est vive !

CLÉMENT SZYMANOWSKI. Pourquoi avez-vous dit : « Saviez-vous que Valéry avait eu un premier fils… » Pourquoi *premier* ? Il n'y en a pas de second…

DOLOROSA HACHÉ. Je suis enceinte de lui… Je suis enceinte de lui, Clément !
(Elle s'apprête à sortir.)
Douleur.

CLÉMENT SZYMANOWSKI. Pardon ?

DOLOROSA HACHÉ. Douleur. Il m'appelait Douleur et le répétait deux fois de suite : Douleur Douleur comme on dit catastrophe catastrophe !

CLÉMENT SZYMANOWSKI. Douleur Douleur.

DOLOROSA HACHÉ. Joyeux Noël, Clément.

CLÉMENT SZYMANOWSKI. Joyeux Noël, Douleur.

Dolorosa sort.

12. Cryptanalyse

Clément seul. À son ordinateur.

$$L_i = \frac{\sum_{k}^{k < i, k \,\in\, \mathrm{mod}\{5,4,1\}} (L_k + \frac{1}{X_k})}{\prod_i^X n_{i,k}} \oiint_{k,i}^{x} \left(\frac{i^\alpha + k}{(X - T_0 + \lambda_i) + 1/\alpha} \right)^{1/\alpha}$$

Il tape sur le clavier de son ordinateur.

CLÉMENT SZYMANOWSKI. Douleur Douleur sans espace.

$$L_i = \frac{\sum_{k}^{k < i, k \,\in\, \mathrm{mod}\{5,4,1\}} (L_k + \frac{1}{DOULEUR^2 k})}{\prod_i^{DOULEURDOULEUR} n_{i,k}} \oiint_{k,i}^{DOULEURDOULEUR} \left(\frac{i^\alpha + k}{(DOULEUR^2 - T_0 + \lambda_i) + 1/\alpha} \right)^{1/\alpha}$$

avec $k,i \in \mathrm{mod} \{5,4,1\}$

Clément tape sur le clavier de son ordinateur.

D × O × U × L × E × U × R × D × O × U × L × E × U × R
4 × 15 × 21 × 12 × 5 × 21 × 18 × 4 × 15 × 21 × 12 × 5 ×
21 × 18

=

816633498240000

CLÉMENT SZYMANOWSKI. 816633498240000

Il tape sur le clavier. L'opération apparaît à l'écran.

$$L_i = \frac{\displaystyle\sum_{k}^{k < i, k \in \mathrm{mod}\{5,4,1\}} \left(L_k + \frac{1}{816633498240000^2 k}\right)}{816633498240000} \oiint_{k,i}^{816633498240000^2} \begin{pmatrix} \text{STMANIMNINRPIIMNLERENRRATQUT} \\ \text{PRTESCIVALINNOEHIIONCQUELE} \\ \text{NTOGIRCRATMIUORBDURUCEILICE} \\ \text{BNTQFFEPHSNSMTAANTAECYIELET} \\ \text{TLASNCEMEDJOTILNMPFALDNOOLA} \\ \text{LTANURNNTTEIANFEOMRAMSMBIMM} \end{pmatrix}$$

Le texte se décompose dans un premier temps.

Voilà ! Voilà !

Les lettres se repositionnent et forment un nouveau bloc.

NICIMENIFRIMASNIENCRENIETELINNIJARD
INSCHIFFRESQUANDCAMPHRESYTOMBEN
TLESANGESPLITANTPALITPILONTOMBANT
TOMBANTLARTDECLINELAMORTMORNEFL
AQUEMURMURANTLIVREMOTQUIMECONCUT

Clément saisit un crayon et détache les mots du nouveau texte les uns des autres.
Il saisit l'ordinateur de Valéry et l'allume.

Vidéo de Valéry.

VALÉRY MASSON. IDENTIFICATION : NOM ET PRÉNOM.

CLÉMENT SZYMANOWSKI. Szymanowski Clément.

VALÉRY MASSON. MOT DE PASSE, MONSIEUR SZYMANOWSKI.

CLÉMENT SZYMANOWSKI *(lisant).*
Ni cime
Ni frimas
Ni encre
Ni été lin
Ni jardins chiffrés
Quand camphres
Y tombent les anges
Pli
Tant pâlit
Pilon tombant tombant
L'art décline la mort
Morne flaque
Murmurant
L'ivre mot
Qui me conçut

L'ordinateur s'ouvre vers un nouveau fichier.
Le visage de Valéry apparaît.

VALÉRY MASSON. Bonjour Clément... Il ne me reste pas beaucoup de temps et je dois te parler... Clément... il y a un malentendu... Tout

69

ça sort de l'ordinaire… Nous cherchons à cerner une organisation terroriste, mais il s'agit d'autre chose, en tout cas rien qui soit strictement politique et encore moins religieux… et ne crois surtout pas qu'il puisse être question d'une bande de fous, de déséquilibrés ou d'illuminés… ils sont trop bien organisés, et depuis trop longtemps… Au début j'ai cru qu'il pouvait s'agir d'une secte, mais ça ne tient pas non plus… ça ressemble plutôt à un réseau d'individus, très jeunes, qui ne se connaissent pas nécessairement… on les dirait soudés par un état d'esprit, une sensation… par leur jeunesse… il y a chez eux un mal de vivre qui s'apparente à un chagrin ou de la peine infinie… qui se traduit par la poésie… Je confonds sans doute trop de choses… Ce qui m'arrive est sans importance… Tu me connais, Clément, ne crois surtout pas à une dépression… je ne suis pas de ce genre-là… Ce que je peux te dire c'est que la vraie piste, celle que nous devons… celle que vous devez suivre, c'est celle du *Tintoret*. La Direction générale tend à l'écarter parce qu'elle lui semble trop fantaisiste… traduis cela par *trop poétique*… justement… c'est précisément ça que je n'ai pas compris… ou que j'ai compris trop tard… Je n'ai pas vu; ou pas cru… ou pas voulu croire… on rate tout quand on réussit trop… Cher Clément, je ne sais pas combien de temps il t'aura fallu pour réussir à déverrouiller le système de protection de l'ordinateur, mais connaissant ta foi et ta capacité à t'émouvoir, je suis certain que tu n'as rien oublié des poèmes de mon grand-père que nous nous étions amusés à crypter ensemble. Je ne peux pas tout te dire, Clément. Je ne peux pas... pas vraiment... Tu vois... nos promenades sur le mont Royal sont déjà loin et, depuis ta dernière visite, je ne suis pas remonté pour contempler la ville d'en haut et tenter de tracer des lignes et des courbes entre sa centaine de clochers. On n'aura jamais réussi à prouver mathématiquement la beauté de Montréal, et ça restera notre plus magnifique échec. C'est comme ça. Quand on voit quelqu'un pour la dernière fois, on ne sait pas toujours que c'est pour la dernière fois. Si tu vois Anatole, dis-lui que son père a essayé d'être à la hauteur et qu'il ne l'a pas trahi. En fouillant dans l'ordinateur, tu trouveras tout ce que j'ai réussi à décoder sur la piste du *Tintoret*. Fais-toi confiance, Clément, mais fais vite.

Clément ferme l'ordinateur et sort.

13. Le temps

DISPARITION DU FILS

Blaise au téléphone.

BLAISE CENTIER. J'aurais voulu être en face de toi pour te dire ce genre de choses, ce n'est pas possible / Eh bien voilà : ta mère et moi on va divorcer / Qu'est-ce que tu veux dire par «enfin»… / Georgia, les choses ne sont jamais si simples / C'est pour le mieux / Ça reste un échec / J'ai beaucoup aimé ta mère / Je ne veux pas parler contre elle / Ensuite, écoute : à cause de ces histoires de *subprimes*, je vais être saisi / Mais non, moi je m'en fous, c'est pour ta mère / Cet argent était pour toi / On va mettre ce qui reste à ton nom / Ça me fait du bien de te parler / Pour rien / Moi aussi ma chérie / Tout plein.

Il raccroche.

LA CHAMBRE DU PÈRE

Clément, dans la chambre de Valéry, décroche du mur une reproduction de L'Annonciation *du Tintoret.*

SILENCE DU FILS

Charlie Eliot Johns en contact vidéo avec Victor Eliot Johns.

CHARLIE ELIOT JOHNS. Victor… Victor… regarde-moi !
(Victor redresse la tête.)
Bonne année, Victor !

VICTOR ELIOT JOHNS. Ouais c'est ça bonne année !

Arrêt du contact vidéo.

PAROLE DE LA MÈRE

Dans le jardin. Dolorosa s'adresse aux statues.

DOLOROSA HACHÉ. Je ne sais pas si vous entendez les mots qui gisent en moi ! À peine je tente de les dire qu'ils s'évaporent en silence. Je profite de ces statues, fragiles intercesseurs, pour vous parler, mes chères disparues : je porte un enfant et je vais le garder, et tout est détraqué ! Et c'est l'inversion des éléments, douleurdouleur comme on dit catastrophecatastrophe, comme si l'eau devenait feu et le feu devenait bois. Je vais le garder, mes chéries, parce que c'est vous trois en un qui me revenez, en pleurant, en riant, moi, votre si mauvaise mère, vous revenez vers moi, et si vous revenez pour me tuer, je ne vous en empêcherai pas, je ne vous en empêcherai pas, je me jetterai à vos pieds pour offrir ma gorge à votre couteau. Égorgée, mes mots d'amour sortiront enfin ! Parvenir enfin à prononcer vos prénoms, pour une dernière fois, mes chéries, mes petites chéries, mes enfants chéries…

MAQUETTE

Vincent dans sa chambre travaille sur une maquette de voiture. Un message est décodé sur son ordinateur.

VOIX D'HOMME. L'ŒIL DU PHÉNIX FIXE LE LIEU DES CENDRES D'OÙ NAÎTRA LE PHÉNIX À JAMAIS CENDRES, JE RÉPÈTE, L'ŒIL DU PHÉNIX FIXE LE LIEU DES CENDRES D'OÙ NAÎTRA LE PHÉNIX À JAMAIS CENDRES. AUX ANGES QUI M'ÉCOUTENT, SOUVENEZ-VOUS

DE LA PAROLE ANCIENNE : QUI TÉMOIGNERA
DE MOI SINON MOI ? MAIS EN NE TÉMOIGNANT
QUE DE MOI, SUIS-JE ENCORE MOI ?

GRAND FRÈRE PETIT FRÈRE

Chez Clément.

BLAISE CENTIER. Nous sommes le 31 janvier.
C'est à Vincent qu'il faut vous adresser dorénavant.
Il est Chef-Chef de cette cellule.

CLÉMENT SZYMANOWSKI. Il ne le devient qu'à
la fin de la journée de demain.

BLAISE CENTIER. Il est bientôt minuit, Clément !
Nous sommes déjà demain !

CLÉMENT SZYMANOWSKI. Je sais ! Mais vous
pouvez encore ordonner le programme de la
matinée et celui de l'après-midi. Ces dernières
heures sont encore à vous.

BLAISE CENTIER. Justement, je ne supporte pas
les agonies ! C'est comme ça ! Valéry s'est suicidé
et je n'ai pas réussi à savoir pourquoi. J'ai failli
à ma mission ; je suis donc écarté et c'est juste.
Allez voir Vincent.

CLÉMENT SZYMANOWSKI. Blaise, j'ai besoin
de ces dernières heures qui sont encore sous votre
autorité ! Écoutez-moi, c'est vrai, je ne peux pas
encore répondre à la question qui vous a été posée :
«Pourquoi Valéry s'est-il suicidé ?», mais je peux
affirmer que Valéry s'est tué le jour où il a été

convaincu que la piste *Tintoret* était la bonne. Quelque chose se noue à cet endroit.

BLAISE CENTIER. Personne ne vous croira, Clément ! La piste *Tintoret* est trop fantaisiste... ce ne sont que des poèmes et des textes littéraires tournant autour d'un tableau du Tintoret évoquant l'Annonciation !

CLÉMENT SZYMANOWSKI. Pourquoi dans ce cas Valéry en était-il si convaincu ?

BLAISE CENTIER. Valéry aimait la poésie, ça l'a toujours aveuglé.

CLÉMENT SZYMANOWSKI. Valéry aimait les mathématiques et Arthur Rimbaud ! Valéry a participé à la découverte de la cryptographie quantique tout en traduisant les poèmes de son grand-père en français ! Nous avons affaire à l'un des esprits les plus éclairés que nous ayons jamais rencontrés, vous et moi ! Alors si mathématiques et poésie sont compatibles, poésie et terrorisme ne sont pas incompatibles, vous m'entendez ? Blaise, ordonnez le jour de demain pour que nous puissions consacrer ces dernières heures à la piste *Tintoret* ! Faites-moi confiance, Blaise !

BLAISE CENTIER. Vincent pense toujours que vous n'avez pas trouvé le mot de passe ?

CLÉMENT SZYMANOWSKI. Je n'ai pas de difficulté à le convaincre. Il est persuadé de mon incompétence.

BLAISE CENTIER. Clément, je commence à comprendre pourquoi Valéry vous a envoyé à nous. Vous êtes le bienvenu ici.

CLÉMENT SZYMANOWSKI. Ne faites pas de mauvais rêves.

LES GISANTS

Chacun dans sa chambre. Tous suivent les informations à la télévision.
Les chaînes changent. Tous dorment.
Un bombardement.
Il s'intensifie.
Devient terrifiant.

14. La vérité

Tous dans la salle de travail.

CLÉMENT SZYMANOWSKI. Voici le tableau peint par le Tintoret vers 1585 et que l'on peut voir à la Scuola Grande de San Rocco, à Venise. C'est une *Annonciation*, une scène de la vie du Christ. L'ange Gabriel apparaît à une jeune vierge du nom de Marie pour lui annoncer qu'elle porte le fils de Dieu. Le récit en est fait par l'évangéliste Luc au chapitre 4 entre le verset 26 et le verset 38. Le tableau du Tintoret illustre le verset 29. « À ces mots elle fut très troublée, et elle se demandait ce que pouvait signifier cette salutation.» Voici un message qui a été intercepté il y a plus de trois mois et que Valéry a consigné dans ses documents.

> VOIX. HYPOTÉNUSE 29, JE RÉPÈTE, HYPO-TÉNUSE 29, JE RÉPÈTE, HYPOTÉNUSE 29.

CLÉMENT SZYMANOWSKI. Hypoténuse 29 pour le verset 29. Cette coïncidence détermine Valéry à faire un saut dans son interprétation du tableau et le convainc qu'il tient le fil qui lui permettra de défaire, peu à peu, toute l'énigme à laquelle nous faisons face. Il se met alors à regarder le tableau d'une tout autre manière, y percevant soudainement toute la violence qu'il contient. À partir de maintenant, il faut regarder le tableau avec les yeux de Valéry. L'ensemble formé par l'ange Gabriel et les angelots devient un phallus surdimensionné. Il fracasse pour la pénétrer la chambre de la Vierge et s'arrête à la limite des voilages du lit ; grand triangle rouge, sexe féminin sur le point d'être pénétré à son tour. Pour Valéry, ce fracas est un viol. Tout est là. En date du 14 septembre, il écrit : *Pour une lecture terroriste de* L'Annonciation *du Tintoret* où il tente de se figurer la manière avec laquelle des terroristes pourraient s'identifier au tableau au point d'en faire leur code secret. Valéry abandonne alors la lecture religieuse pour aller vers une lecture politique. Seuls importent Marie, l'ange et le Saint-Esprit. Marie est Occident en sa maison, un Occident vierge qu'il faut violer pour le forcer à réaliser l'incommodité de sa position bien commode. Elle est chez elle, ébranlée dans ses certitudes par l'apparition de l'ange, car si Marie est l'Occident violé, et l'ange, le terroriste-violeur, le Saint-Esprit est le viol qui les ordonne, c'est-à-dire l'attentat. Entre octobre et novembre, Valéry isole deux messages interceptés une centaine de fois, faisant entendre les voix d'individus de tous sexes et de toutes origines mais dont l'âge moyen varie toujours entre 25 et 35 ans.

VOIX MASCULINE. « L'ange n'est pas seul ! »
Je répète : « L'ange n'est pas seul !
Le vent se lève
Les poètes ne marchent pas avec des parapluies ! »
Je répète : « Les poètes ne marchent pas avec des parapluies !
La porte est dans le plafond !
Il y a donc une clé ! »
Je répète : « Il y a donc une clé ! »

CLÉMENT SZYMANOWSKI. L'ange n'est pas seul ! Qui est donc cet ange ? Présent à la fois dans l'Ancien Testament, le Nouveau Testament et le Coran, l'ange Gabriel est une figure majeure revendiquée autant par le judaïsme, le christianisme que l'islam. Appartenant aux trois religions monothéistes, il ne peut donc appartenir à aucune d'elles en particulier. Il ne peut être l'ennemi d'aucune d'elles non plus. Par deux fois, la voix affirme : « L'ange n'est pas seul », pourtant d'un point de vue théologique, l'ange annonciateur est toujours seul, ce qui signifie que l'ange dont il est question dans ce message ne relève pas du religieux. Il est profane. Peut-être athée. Il ne peut donc pas être associé à un jihad. Pour Valéry, la piste islamiste devait dès lors être écartée. Restait la piste anarchiste.

> VOIX DE FEMME. *CLÉMENT SZYMANOWSKI.* 48 50 16 07 – 2 18 32 21 *UN* / 40 44 19 36 – 74 01 21 95 *DEUX* / 51 29 08 00 – 0 09 24 71 *TROIS* / 45 23 23 05 – 11 49 44 15 *QUATRE* / 59 55 28 43 – 30 15 38 33 *CINQ* / 52 29 42 62 – 13 20 02 11 *SIX* / 35 39 25 40 – 139 43 42 62 *SEPT* / 45 30 42 22 – 73 37 20 12 *HUIT*

CLÉMENT SZYMANOWSKI. Huit longitudes et huit latitudes, exprimées en heures-degrés-minutes-secondes, indiquant les bordures de huit villes appartenant aux huit pays les plus riches de la planète. Paris, New York, Londres, Padoue, Saint-Pétersbourg, Berlin, Tokyo, Montréal. Pour Valéry, il ne fait aucun doute que ce sont là les cibles de l'attentat. Il devra cependant attendre jusqu'à la fin novembre pour qu'un nouveau message lui permette de comprendre pourquoi ces villes sont visées.

VOIX MASCULINE. Enfantivores !
Vous êtes l'haleine de l'Histoire
Et on appelle cela un État !
Vainqueur sacrificateur
On appelle cela un État !

Voyez le sang : qui ordonne qu'il soit versé ?
Les pères les pères !
Qui l'a versé ?
Les fils les fils !
Tout homme qui tue un homme est un fils qui
tue un fils
Nécessairement horrible nécessairement ;
Tout sang d'homme qui tache des mains d'homme
Nécessairement horrible nécessairement
Est le sang d'un fils qui tache les mains d'un fils !
Calme-toi, soumets-toi, obéis-moi !
Des pères, des pères !

CLÉMENT SZYMANOWSKI. France, États-Unis,
Angleterre, Italie, Russie, Allemagne, Japon,
Canada. De quoi ces pays sont-ils coupables
pour mériter d'être attaqués ? De libéralisme ?
De capitalisme ? De la mondialisation ? Fausse
piste, affirme Valéry, fausse piste ! Ces pays sont
coupables d'avoir versé le sang des fils du siècle !
Cette géographie doit être vue comme la géographie
des puissances des deux premières guerres
mondiales, matrices des guerres d'aujourd'hui,
d'un siècle mécanique et de son cortège de
morts. C'est la géographie du sang versé, c'est la
géographie de la jeunesse massacrée. Celle d'hier et
celle d'aujourd'hui. Cette voix qui nous condamne
et nous menace, c'est la voix de ceux qui sont nés
pendant les guerres, Vietnam, Liban, Iran-Irak, et
qui ont grandi à l'ombre des hécatombes : Bosnie,
Rwanda, Kosovo, Tchétchénie. Ils ont trente ans et

cherchent aujourd'hui à donner la parole à toutes les jeunesses sacrifiées avant eux. Une vengeance de la jeunesse par la jeunesse, Occident et Orient confondus. La jeunesse du xxe siècle, dans le silence de son charnier, trouvant parole dans la jeunesse du xxie siècle, fera entendre sa voix et son cri sera effroyable.

VOIX DE FEMME. L'ŒIL DU PHÉNIX FIXE LE LIEU DES CENDRES D'OÙ NAÎTRA LE PHÉNIX À JAMAIS CENDRES, JE RÉPÈTE, L'ŒIL DU PHÉNIX FIXE LE LIEU DES CENDRES D'OÙ NAÎTRA LE PHÉNIX À JAMAIS CENDRES. AUX ANGES QUI M'ÉCOUTENT, SOUVENEZ-VOUS DE LA PAROLE ANCIENNE : QUI TÉMOIGNERA DE MOI SINON MOI ? MAIS EN NE TÉMOIGNANT QUE DE MOI, SUIS-JE ENCORE MOI ?

CLÉMENT SZYMANOWSKI. L'œil du phénix qui fixe le lieu des cendres, c'est l'œil du Saint-Esprit qui indique le lieu de l'attaque. Ce message permet à Valéry d'établir le lien entre le tableau et la mise en place de l'attentat. Par recoupements successifs, il découvre le mode opératoire du réseau. En superposant une reproduction réduite du tableau du Tintoret dont l'hypoténuse mesure vingt-neuf centimètres, sur un plan de la ville ciblée, on obtient la géographie du viol ! Sous la menace de l'ange déployé dans leur ciel, huit villes attendent d'être frappées ; Paris, New York, Londres, Padoue, Saint-Pétersbourg, Berlin, Tokyo et Montréal. Le point précis du plan qui coïncidera avec l'œil de l'oiseau indiquera le lieu des attentats. Ces images ne sont que des exemples auxquels nous ne pouvons pas nous fier car il reste à déterminer un dernier paramètre : l'échelle. Le point de coïncidence entre le plan de la ville et le tableau est entièrement dépendant de l'échelle de la carte utilisée, mais Valéry se suicide brusquement alors qu'il tentait de déterminer cette échelle.

VINCENT CHEF-CHEF. Valéry s'est suicidé car il est devenu fou !

CLÉMENT SZYMANOWSKI. Cela ne suffit pas de dire que Valéry est devenu fou, encore faut-il s'interroger sur ce qui a provoqué sa folie ! En ce sens, je peux, aujourd'hui, dire avec certitude que la folie de Valéry et donc sa mort sont liées à la voix de l'âme dirigeante de ce réseau terroriste que nous tentons de démanteler ! S'il existe des centaines d'individus, de toutes origines, qui sont impliqués dans ce réseau, il n'existe qu'un seul chef, penseur et auteur de tous ces messages. Ils sont organisés, ils sont déterminés, ils sont nombreux, mais la source, c'est lui ; l'inspiration, c'est lui ; la voix réelle, c'est lui.

Une voix masculine surgit.

VOIX MASCULINE. À l'instant Minotaure n'in-crimine ni ciel ni mer pour n'incriminer nul bleu. Ni Prusse ni outremer. Aux astres qui chutent promettre le silence ! Qui voudrait à l'instant minotaure trahir le ciel, quand le ciel est sang de ton sang chair de ta chair ?

CHARLIE ELIOT JOHNS. C'est le poème de Valéry !

CLÉMENT SZYMANOWSKI. Les poèmes d'Evgueni Kriapov n'ont jamais été édités ni en russe ni en français, et le seul à en avoir fait une traduction est Valéry lui-même ! Personne n'aurait pu, par hasard, dire ces mots-là !

BLAISE CENTIER. Alors ?

CLÉMENT SZYMANOWSKI. Alors il faut essayer de comprendre, essayer d'imaginer la raison qui a poussé Valéry à se replonger dans l'univers de l'espionnage. Vous connaissez Valéry, vous avez lu son histoire, vous connaissez à présent le moindre pli qui a froissé cette vie sans cesse dépossédée de ses plus intimes convictions jusqu'à la grande déchirure dont il n'a jamais réussi à se consoler quand, en plein bonheur, le destin l'a frappé ce matin-là devant le corps de Mary Rose Sorow, sa femme, criblé de balles ; en un éclair, Valéry comprend que tout cela, l'amour, la passion, la joie partagée jusqu'à la naissance de leur fils Anatole, n'était qu'une vulgaire couverture pour une agente soviétique, sa femme, qui espionnait les recherches autour de la cryptographie quantique sur lesquelles il travaillait ! Rien de son histoire d'amour n'était vrai ! Rien ! Il quitte tout pour se réfugier à Montréal, refait sa vie et des années plus tard il se suicide !

DOLOROSA HACHÉ. Pourquoi ?

CLÉMENT SZYMANOWSKI. Pourquoi ? Pourquoi un homme met-il ainsi un terme à sa vie ? Pourquoi là ? Pourquoi à cet instant ? Pourquoi lui ? Peut-être parce que l'impossible s'est à nouveau produit ! En cherchant de toute son âme à arrêter cet attentat, Valéry cherchait à rattraper le temps perdu, cherchait à racheter son aveuglement d'hier pour recoller les morceaux de son être qui furent, il y a longtemps, sciés par la violence des événements ! Valéry, toute sa vie, a gardé au creux de la main la sciure tombée au sol, issue de son propre démembrement, puisque de la sciure des amputations éclosent toujours les mots : les mots des maux, les maux des mots, l'émail des mailles qui tissent et retissent, lacent, enlacent, entrelacent et embrassent les mots aimés, anciens, lesquels, coagulés, ramènent chacun d'entre nous vers la phrase manquante. Nous la cherchons avec avidité, cette phrase manquante qui pourrait redessiner les contours de la ville perdue dont les portes des maisons restaient ouvertes au passage des étrangers, cette ville-reine qui portait et porte encore le nom oublié avec lequel nous appelait, il y a longtemps, la voix tant aimée, nous enjoignant de rentrer avant que ne tombe le jour. Cela, la poésie de son grand-père le lui avait appris ! Il la cherchait, cette phrase manquante, avec une soif infinie et il pensait la trouver ici en sauvant la vie des gens, en délivrant le monde de son démon et en dévoilant l'identité de celui qui construit toute cette monstruosité. Mais en s'élevant de plus en plus haut dans le ciel de sa connaissance et de ses recherches, il a frappé avec une violence inouïe la clarté foudroyante du soleil puisqu'un jour il comprend, comme j'ai compris hier en décodant le dernier message, que cette voix ennemie, cette voix de l'ennemi, de l'autre, était une voix impossible, puisqu'elle était encore une fois la voix de son amour, de son fruit du moins, la voix de son sang, sang de son sang, chair de sa chair !

Clément démarre une piste audio.

VOIX D'ANATOLE. Me reconnais-tu ? Me reconnais-tu ?… Anatole ! Le fils parle au père ! Isaac à Abraham ! Il n'y a plus d'ange pour arrêter le bras des pères, le couteau au sacrifice des fils, au sacrifice des fils ! Meurs avant moi, papa, meurs avant moi ! Meurs avant moi papa, meurs avant moi, avant moi, papa, meurs avant moi, papa papa papa papa…

Temps.

VINCENT CHEF-CHEF. Monsieur Szymanowski, un mois durant, vous nous avez fait croire que vous ne parveniez pas à ouvrir l'ordinateur de Valéry alors que vous en étiez à défaire le moindre circuit, à extraire la moindre information inscrite au plus creux de ses mémoires ! Je suis depuis quelques instants le chef de cette cellule et, comme vous pouvez le constater, je vous ai laissé terminer votre histoire bien qu'elle m'apparaisse comme la représentation d'un esprit défaillant, mais soit, je veux bien m'y intéresser, je veux bien même essayer de la prendre au sérieux, mais que durant tout ce mois vous n'ayez rien révélé de vos avancées me laisse penser que vous êtes dangereux, pour ne pas dire nuisible à notre enquête ! Un mois de perdu dont je deviens aujourd'hui responsable !

CLÉMENT SZYMANOWSKI. On ne livre pas facilement un ami à la lumière et j'avais besoin de comprendre la raison pour laquelle Valéry a fait appel à moi pour révéler ce qu'il n'a pas été en mesure de révéler lui-même ! Valéry était un ami ! Et si ce mot a encore un sens pour vous, je ne savais pas qu'il en avait autant pour moi ! Je vous livre son fils ! Je vous donne le nom d'Anatole et ce n'est pas, je vous assure, de gaieté de cœur, car je ne sortirai pas indemne à l'idée d'avoir trahi mon frère ! Jamais de ma vie je n'aurais voulu avoir à prononcer ainsi les mots de Caïn et toujours je m'étais promis de rester le gardien de mon frère ! Vous avez de la chance, monsieur Chef-Chef, pour vous le monde est clair et vous savez non seulement à quoi vous appartenez, mais contre quoi vous luttez, vous connaissez le bien, et vous connaissez le mal, et votre choix est fait, votre monde est propre, votre conscience nette, votre vie faite, votre âme pure ! Vous avez de la chance car en ce qui me concerne, prononçant le nom d'Anatole, j'ai l'impression de parler sous la torture, j'ai le sentiment infect de donner les dates, les lieux et les circonstances d'un mouvement auquel j'appartiens ! En donnant le nom d'Anatole, je donne le nom d'une jeunesse dévorée par les guerres et les catastrophes, par ce mouvement mécanique qui vous est si cher, vous qui pouvez en un geste pénétrer le moindre ordinateur comme si vous étiez l'ange inversé puisque vous pénétrez dans la chambre vierge non pas pour annoncer mais pour extorquer ! En donnant, en vous donnant le nom d'Anatole, j'ai le sentiment de donner les noms de tous ceux qui sont morts hier et avant-hier et jusqu'au début du siècle qui vient de s'écraser sous nos pieds, cloaque monstrueux dont vous n'êtes que la plus misérable des conséquences ! En donnant le nom d'Anatole, je donne aussi ceux qui sont morts dans le silence et qui comptaient sur ma voix pour hurler leur vie, peine peur colère et chagrin ! Anatole nous redonne la poésie et nous en prive du même coup, car sa colère se retrouve encore imbriquée au siècle de la colère, et si je choisis de le livrer, en mon âme et conscience, si j'accepte ce dégoût de moi-même, si j'accepte de vivre toute ma vie, à partir d'aujourd'hui, avec le sentiment d'avoir été traître aux gens de mon âge, c'est parce que pour moi, pour l'être que je suis, la beauté, son océan, son architecture ne peuvent pas être complices du sang ! Cela serait intolérable, vous m'entendez ? Or justement Anatole est poésie, et si la poésie réussit la destruction en versant le sang, en se liant au sang, en faisant du sang innocent l'encre de son signe, alors une promesse n'aura pas été tenue et on pourra dire, on pourra annoncer aux mythologies d'hier, aux mythologies d'aujourd'hui et à celles de demain que la pureté du sang aura gagné et que nous aurons besoin de donner à la terre des millions de morts encore en nourriture, et c'est cela qui ne me laisse pas le choix ! La poésie est désir et s'il faut que le désir devienne destruction du sang par le sang à son tour, alors vraiment il ne nous restera plus rien ! Ce contre quoi nous luttons ici n'est pas né des obscurités d'aujourd'hui, mais des fantômes des ténèbres d'hier ! Écoutez puisque vous êtes le chef à présent ! Dans le calendrier romain, la fête de l'Annonciation est célébrée le 25 mars ; l'heure à laquelle l'ange est apparu à la Vierge est soulignée par le tintement de l'angélus à six heures, midi et dix-huit heures. Nous sommes aujourd'hui le 1er février. Nous pouvons encore intervenir à temps pour arrêter Anatole ! Je pense que nous devons prendre avec le plus grand sérieux cette date du 25 mars, je le pense d'autant plus qu'il ne reste que très peu de temps !

Long temps.

BLAISE CENTIER. Alors que faisons-nous ?

VINCENT CHEF-CHEF. Nous allons concentrer tous nos efforts en direction de la piste islamiste et essayer de retrouver, à travers les messages captés, tout ce qui peut nous aider à retracer Ali Al Lybie. Veuillez me remettre l'ordinateur de Valéry, monsieur Szymanowski.

CHARLIE ELIOT JOHNS. Il me semble que la piste *Tintoret* infirme sérieusement toutes les conclusions auxquelles nous étions arrivés avec la piste islamiste.

VINCENT CHEF-CHEF. La piste islamiste est un ordre qui incombe à toutes les cellules ! Nous n'avons pas le choix !

CHARLIE ELIOT JOHNS. Nous avons le choix si nous sommes convaincus que la piste islamiste n'est plus la bonne piste !

VINCENT CHEF-CHEF. Je ferai mon travail, tu peux compter sur moi, Charlie, et je ferai connaître à la Direction générale le résultat des recherches de Clément Szymanowski. Si l'on nous ordonne de changer de piste, nous changerons de piste ! En attendant, nous ne changerons rien car rien de ce qui a été dit ne prouve la fausseté de la piste islamiste, et s'il est possible que cette voix soit celle d'Anatole et que Valéry se soit suicidé parce qu'il a reconnu la voix de son fils, rien ne nous interdit de penser que ce fils se soit converti à l'islam, rien ne nous interdit de penser que ce fils soit devenu le chef d'une organisation terroriste islamiste, rien ne nous interdit de penser qu'il ait pu changer son nom pour un nom reflétant mieux ses convictions religieuses, rien ne nous interdit de penser qu'Anatole Masson soit devenu Ali Al Lybie. Tout cela doit être méticuleusement vérifié. Nous devons garder la tête froide ! Trop de sentiment et trop d'émotivité ont ces derniers mois retardé notre travail. Devant la gravité de la situation, je n'accepterai plus la moindre défaillance ; rien ne doit nous détourner de notre objectif : déjouer l'attentat qui se prépare à l'instant même ; en ce sens, vos opinions personnelles, vos états d'âme ne sont que des obstacles à l'exécution du plan, les battements de votre cœur, vos émotions, vos impressions, vos sentiments, vos problèmes, vos vies, vos amours, votre famille, votre passé, votre mémoire ne sont que des détails à côté du défi que nous devons relever ! Des grains de sable que vous ne devez jamais prendre en considération ! Il ne peut y avoir de solution dans les mots ni dans les phrases ! Seuls l'action, l'agir, le travail peuvent nous sauver ! L'amitié, l'affection dont vous êtes si fier, monsieur Szymanowski, ne sont pas des paramètres qui peuvent être pris en compte dans le monde réel, car ni la poésie ni la beauté dont vous vous revendiquez vous et Valéry, malgré l'importance que je leur reconnais, ne pourront empêcher un attentat, rien de ce qui compte tant à vos yeux, votre culture, votre suffisante éducation, cet air supérieur de celui qui sait, de celui qui a lu, de celui qui connaît, cette sensibilité dont votre esprit se targue, ne pourront ni sauver les gens, ni ramener les morts à la vie, ni rendre justice aux victimes ! Votre compréhension, monsieur Szymanowski, votre humanité ne serviront qu'à protéger les bourreaux et les assassins. Culture, beauté, poésie ne sont que des rideaux épais qui vous aveuglent et servent à trancher et retrancher l'éclat de la vérité. De vous tous, je suis le seul à ne pas la craindre, cette vérité brûlante, car je n'ai ni passé, ni intérêts à la moindre mémoire, et c'est pour cette raison qu'il est juste que je sois aujourd'hui le chef de cette cellule car je suis, moi, seul en mesure d'imposer qu'on obéisse scrupuleusement à la vérité malgré les déchirures que cela peut engendrer ! J'ai défait Blaise de ses responsabilités car l'intérêt général l'a exigé de moi ! C'est cela l'amour de la vérité, un amour que vous ne pouvez pas comprendre, que des gens comme vous ne peuvent pas comprendre ! Pour ma part, je n'aurais aucune honte à donner le nom de mon propre frère, de mon propre père, de mon propre fils s'il s'agissait d'une vérité qui nous permettait de déjouer l'attentat ! La vérité est au-dessus de tout. Ce que nous ressentons les uns pour les autres ne doit plus être un obstacle. Travaillons ensemble ! Je serai dorénavant votre chef et je vous dirai toujours la vérité. Je n'aurai aucune pitié de vous, d'aucune parcelle de votre histoire. Ce sera ma manière de vous respecter.

DOLOROSA HACHÉ. Ne t'avise pas, une seule fois, de mettre le pied dans cette vie qui est la mienne. Ne t'avise pas de t'y introduire par effraction, ne t'avise pas de t'approcher de moi. Je te ferais goûter à la boucherie de mon nom sans en cuire la viande ! Je pourrais te dévorer, je sais ce que c'est de dévorer, crois-moi, Vincent, crois-moi : je pourrais te dévorer, je pourrais te dévorer ! Puisque tu es l'ami de la vérité et que la vérité ne te fait pas peur, et puisqu'il s'agit à présent de dire la vérité, quand la glace du monde se fissure sous nos pieds, quand la seule vérité qui vient d'être dite, celle du fils qui tue son père, sourd autant qu'aveugle, tu refuses de l'entendre et de la voir, jusqu'aux statues du jardin on la fera résonner ensemble ! *(Silence.)* Elle est, paraît-il, dans la bouche des démons, la vérité, puisque le démon dit ce qu'il sait alors que l'ange sait ce qu'il dit ! Permets-moi ici d'être comme le démon et je te dirai mon nom : Je m'appelle Dolorosa Haché. Une nuit comme celle-ci, c'était avant la fin du siècle, je suis rentrée chez moi et j'ai tué en leur tirant une balle dans la tête mes trois filles, Emily, Sylvia et Clarisse, sang de mon sang, vérité de ma vérité, puis j'ai tué, de deux balles dans la poitrine, leur père. *(Silence.)* J'ai assassiné mes enfants et cette vérité est tout entière liée aux battements de mon cœur, à mes impressions, mes sentiments, ma vie, mes amours, ma raison, mon être, à tout cela qui n'est pour toi que du détail ! Toi qui veux la vérité sans fard, la vérité nue, la chose dite, sans sa peau, son film, son épiderme, je te la livre ici, anatomique, dans sa cruelle lumière. Écoute-moi. *(Silence.)* Je suis enceinte. Je suis enceinte de ce père mort sous l'injonction du fils ! Je suis enceinte de Valéry. Que feras-tu à présent de cette vérité ? Y a-t-il, là, dans ta vie de maintenant, une vérité plus vivante, plus brûlante ? Que feras-tu, enfant toi-même, que feras-tu, marionnette, garçon trop bien élevé, que feras-tu, dis-moi, de cette vérité ? Que feras-tu des fauves affamés ? Quelle vérité saura répondre à la vérité ? L'infanticide est enceinte ! Entends-tu ? Cela est réel car je suis réelle, et si l'enfant que je porte dans mon ventre est réel, alors Anatole peut être réel aussi ! La poésie et la beauté peuvent devenir destruction. Sauras-tu entendre, sauras-tu changer le monde de ton monde ? L'univers de ton univers ? Et voir que ce qui se dresse devant nous n'a ni pattes avant ni pattes arrière car ce qui est là et que tu veux arrêter de tes propres propres mains est un trou, un trou troué, immémorial chagrin, donnant accès à la chute, trou noir inversé propulsant à des années-lumière toute possibilité de sens et de rémission ! Comment feras-tu pour te battre contre un trou ? Comment feras-tu pour te battre contre un poète qui a rencontré sa chute ? Comment feras-tu ?

Dolorosa sort.

15. Promesses

Charlie dans sa chambre. Victor sur écran.

CHARLIE ELIOT JOHNS. Ta mère m'a dit que tu avais des soucis à l'école?

VICTOR ELIOT JOHNS. Ouais.

CHARLIE ELIOT JOHNS. Il s'agit d'un devoir que tu aurais à faire…?

VICTOR ELIOT JOHNS. Ouais.

CHARLIE ELIOT JOHNS. Et… tu ne veux pas m'en parler?…

VICTOR ELIOT JOHNS. Ben, je ne sais pas là… c'est… rien, ce n'est pas important…

CHARLIE ELIOT JOHNS. Comment, ce n'est pas important! C'est très important!… De quoi il s'agit?

VICTOR ELIOT JOHNS. Ben c'est une affaire sur la beauté… qu'est-ce que… pour moi, c'est quoi la beauté…

CHARLIE ELIOT JOHNS. O.K… et alors? En quoi ça consiste?

VICTOR ELIOT JOHNS. O.K., ben, je vais aller te le chercher. Une seconde… O.K., je vais te lire là, c'est… «Au moyen d'un outil visuel…

audiovisuel, choisissez des œuvres exposées dans la collection permanente du musée de la ville et faites-en un diaporama qui traduise votre perception de la beauté. » … Fait que c'est ça…

CHARLIE ELIOT JOHNS. O.K… attends, je crois que je n'ai pas bien compris… tu dois faire un exposé oral sur la beauté à partir d'un diaporama… c'est ça ?

VICTOR ELIOT JOHNS. Ouais, je… je sais pas là… faut que je fasse un diaporama avec des photos que je prends dans un musée, puis qu'après ça j'exprime pour moi c'est quoi la beauté…

CHARLIE ELIOT JOHNS. O.K…

VICTOR ELIOT JOHNS. Je trouve c'est n'importe quoi là, je veux dire comment que moi je serais supposé de comprendre ça la beauté là, puis d'expliquer, faire un texte sur la beauté là, tsé !

CHARLIE ELIOT JOHNS. Attends là, arrête ! Tu comprends très bien c'est quoi la beauté, qu'est-ce que tu racontes ? Il y a nécessairement des choses que tu trouves belles, non ?

VICTOR ELIOT JOHNS. Je sais ben, mais… je sais qu'il y a des choses qui sont belles, je sais c'est quoi quelque chose de beau mais… comment je peux dire pourquoi que tu trouves quelque chose de beau ! C'est dur à exprimer…

CHARLIE ELIOT JOHNS. C'est sûr, c'est difficile mais…

VICTOR ELIOT JOHNS. Je sais pas… c'est juste comme ça, là… en tout cas, ça me tente pas de faire ça, puis je vas pas le faire…

CHARLIE ELIOT JOHNS. Bon. Ce que je comprends, c'est que ça ne t'intéresse pas. Mais ce n'est pas parce que ça ne t'intéresse pas que tu ne dois pas le faire ! Prends-le pour ce que c'est : un devoir !

VICTOR ELIOT JOHNS. Je sais mais en plus ça va me prendre full de temps là ! Faut que j'aille dans un musée, moi tsé, déjà moi aller dans un musée…

CHARLIE ELIOT JOHNS. C'est vrai…

VICTOR ELIOT JOHNS. Faut que je mette ça sur l'ordi, que je fasse un diaporama, que je mette de la musique puis ensuite que je fasse un texte pour dire pourquoi que j'aime ces œuvres-là…

CHARLIE ELIOT JOHNS. O.K…

VICTOR ELIOT JOHNS. Puis c'est quoi la beauté pour moi, tsé !

CHARLIE ELIOT JOHNS. Voilà. C'est simple. Tu sais ce que tu as à faire, alors ne traîne pas et règle-le pour t'en débarrasser le plus vite possible ! Tu en seras libéré ! Non ?

VICTOR ELIOT JOHNS. Je sais, mais j'en ai-tu rien à chier de faire ça moi, tsé ?

CHARLIE ELIOT JOHNS. Mais oui, mais Victor, c'est comme ça, il va falloir s'y habituer ! On passe la moitié du temps à faire ce qui nous déplaît ! C'est comme ça… c'est pour quand ce devoir ?

VICTOR ELIOT JOHNS. C'est pour le mois d'avril je pense…

CHARLIE ELIOT JOHNS. O.K…

VICTOR ELIOT JOHNS. En plus ça vaut super cher là, c'est la moitié de l'étape, la moitié des points de l'étape…

CHARLIE ELIOT JOHNS. Alors raison de plus pour le faire ! Bon, écoute, je ne veux pas te retenir, je pense que ça va être l'heure, tu vas finir par être en retard à l'école, on se reparle plus tard…

VICTOR ELIOT JOHNS. O.K., oui… oui, c'est ça !

CHARLIE ELIOT JOHNS. Salut, Victor…

VICTOR ELIOT JOHNS. Bye…

Victor se déconnecte.

PROMESSE 1

Dans le jardin. Vincent et Clément.

CLÉMENT SZYMANOWSKI. Qu'ont-ils décidé à propos d'Anatole ?

VINCENT CHEF-CHEF. Rien du tout. Pour eux, Anatole est un détail qui relève de la vie privée de Valéry. Ni plus ni moins.

CLÉMENT SZYMANOWSKI. Vincent, nous sommes le 20 mars, il reste cinq jours ! Si la piste *Tintoret* est réelle, et je ne doute pas qu'elle le soit, cela signifie qu'il est déjà trop tard ! Nous avons besoin de reconfigurer les ordinateurs en fonction de la piste *Tintoret* pour trouver l'échelle de la carte utilisée ! Vous devez les persuader.

VINCENT CHEF-CHEF. J'ai fait ce qu'il fallait, monsieur Szymanowski, et de la manière la plus scrupuleuse pour faire entendre votre point de vue. Si vous ne me croyez pas, vous pouvez toujours déposer une plainte !

CLÉMENT SZYMANOWSKI. Vincent, écoute-moi ! Je sais que tu n'y crois pas, parce que tu es sûr de toi, mais je sais aussi que quelque chose hésite en toi ! Tu aimerais pouvoir croire, comme moi j'aimerais avoir ta certitude ! Toi et moi détestons ce que nous nous renvoyons l'un l'autre, tâchons alors d'aller plus loin encore dans cette détestation. Écoute-moi, mises à part les statues de ce jardin, personne ne nous écoute, personne ne nous regarde ! Profitons de ce silence et faisons-nous la promesse impossible de devenir l'autre pour les cinq prochains jours ! Que je devienne toi, que tu deviennes moi et défendons tout ensemble ! C'est notre seule chance de réussir ! Ce que nous cherchons est différent mais passe par la même nécessité : déjouer l'attentat d'Anatole ! Nous n'avons rien à perdre !

VINCENT CHEF-CHEF. Je vais faire de mon mieux, Clément, mais je ne te promets rien.

Ils se quittent.

PROMESSE 2

Dans la salle de travail. Charlie.

CHARLIE ELIOT JOHNS. Autorisation pour contact vidéo. Victor Eliot Johns. Salle principale. Merci.

(Image de Victor à l'écran.)

Alors, Victor, est-ce que ça va un peu mieux, aujourd'hui ?

VICTOR ELIOT JOHNS. Oui, ça va… ça va, là…

CHARLIE ELIOT JOHNS. Pourtant, il me semble que ça n'a pas vraiment l'air d'aller là…

VICTOR ELIOT JOHNS. Ben j'ai c'te travail-là, là qui, qui… que j'ai pas le goût de faire là… puis que…

CHARLIE ELIOT JOHNS. Tu as avancé ? Tu as pensé un peu à ce que je t'ai dit ?

VICTOR ELIOT JOHNS. Oui, oui j'ai pensé là… je fais juste penser à ça depuis deux semaines…

CHARLIE ELIOT JOHNS. Oui…

VICTOR ELIOT JOHNS. Je veux dire… pour moi la beauté, quand quelque chose est beau c'est beau, quand c'est pas beau c'est pas beau là… c'est ça là…

CHARLIE ELIOT JOHNS. Bien oui… c'est ça…
C'est un très bon début… continue ! Développe !

VICTOR ELIOT JOHNS. J'ai pas le goût de faire
ça, là, j'ai pas le goût de le faire !

CHARLIE ELIOT JOHNS. Bon. O.K. Écoute !
Je n'ai pas envie de te parler de l'école, je ne
veux même pas te parler de la nécessité de faire
le devoir, O.K. ? Fais comme tu veux. Mais il y
a peut-être une autre manière de voir la chose.
Écoute-moi : on te donne l'opportunité d'aller dans
un musée pour regarder des œuvres d'art. Ne vois
pas ça comme une obligation, O.K. ? Mais comme
une occasion. Essaye de faire cet effort. Pas pour
le devoir, non, tu as raison, le devoir n'a aucune
importance, mais pour toi ! Il faut bien que tu te
fasses une idée sur l'art et la beauté ! Comment tu
veux grandir sinon ? Comment tu veux faire pour
savoir qui tu es et d'où tu viens si tu ne t'intéresses
pas à ce qui a existé avant toi ? Tu vas voir des
couleurs qui nous viennent du Moyen Âge : un
jaune, un rouge ! Tu vas être devant des bleus
qui ont été posés sur la toile avant la fondation
de Québec et qui ont gardé le même éclat ! Tu
verras des verts qui étaient là bien longtemps
avant ta naissance et qui vont continuer à être là
bien longtemps après ta mort ! C'est une chance !
Ne passe pas à côté ! Ça te fera voyager, Victor,
et peut-être ressentir des sensations nouvelles ! Tu
n'es pas obligé d'y rester huit heures ! Tu fais le
tour, tu vas boire un café puis tu retournes voir

les tableaux qui te sont restés en tête ! C'est tout !
Quand je reviendrai, on y retournera et on les
regardera ensemble ! Qu'est-ce que tu en penses ?

VICTOR ELIOT JOHNS. O.K. !

CHARLIE ELIOT JOHNS. Le pire qui puisse
arriver, c'est que tu t'ennuies, c'est tout.

VICTOR ELIOT JOHNS. O.K. !

CHARLIE ELIOT JOHNS. Bon. Et ce que je te
propose, c'est que ce devoir, on le fasse ensemble ;
le diaporama, on le construit ensemble, on fait
le montage des images ensemble, on discute
ensemble sur la beauté, je t'aide à clarifier tes
idées !

VICTOR ELIOT JOHNS. Comment ça ?

CHARLIE ELIOT JOHNS. Tu vas au musée, tu
prends les photos des œuvres qui te plaisent, tu me
les envoies par mail, on les regarde ensemble, je
te propose un montage, je te pose des questions,
on se fait des séances de travail et tout ça…

VICTOR ELIOT JOHNS. Ah ! O.K. !

CHARLIE ELIOT JOHNS. Ça te plaît ? Moi, je
t'avoue, ça me ferait extrêmement plaisir ! C'est
vrai, on ne fait jamais rien ensemble…

VICTOR ELIOT JOHNS. O.K. ! Je vais le faire !

CHARLIE ELIOT JOHNS. Bon ! Ce qui serait
vraiment bien, c'est que l'on puisse avoir les

photos le plus rapidement possible, pour qu'on puisse avoir du temps... qu'est-ce que tu en penses ?

VICTOR ELIOT JOHNS. Oui, oui, je te... je vais y aller !

CHARLIE ELIOT JOHNS. Et ne prends que les œuvres qui t'auront réellement plu ! C'est ton regard, ta manière de voir qui comptent. Tu me le promets ?

VICTOR ELIOT JOHNS. Oui, oui, je te... je te le promets !

CHARLIE ELIOT JOHNS. Travaille bien et fais-moi signe quand tu es prêt. Je vais devoir te quitter, Victor.

VICTOR ELIOT JOHNS. C'est bon ! Bye !

Victor se déconnecte.

16. Désobéissance

Tous dans la salle principale.

VINCENT CHEF-CHEF. Leur parler de poésie leur a paru comme une tentative de sabotage de ma part ! *(Vincent Chef-Chef décachette un message.)* « Note de service du 24 mars. Bureau du secrétariat d'État à la Défense pour la cellule francophone – opération Socrate. Objet : Fin de mission. Les conclusions du rapport sur le suicide de Valéry Masson remis à la Commission sont rejetées. Les membres actuels de la cellule francophone seront relevés de leur mission en date du 31 mars. Employer la dernière semaine uniquement à récolter des informations pouvant conduire à la localisation d'Ali Al Lybie. Interdiction formelle d'enquêter sous quelque forme que ce soit autour de la piste *Tintoret*. Contrevenir à cet ordre est passible de sanctions disciplinaires. Fin. Action immédiate. »

CHARLIE ELIOT JOHNS. C'est une fin de non-recevoir.

BLAISE CENTIER. Nous sommes le 24 mars. C'est demain. Sans l'aide des ordinateurs, nous ne trouverons jamais !

VINCENT CHEF-CHEF. Contrevenir aux ordres est passible de sanctions disciplinaires !

CHARLIE ELIOT JOHNS. La vérité est sur le point de nous tomber dessus. Qu'est-ce qui importe ? La vérité ou l'obéissance ? Il faut reformater les ordinateurs pour que l'on puisse trouver aujourd'hui même l'élément qui nous manque.

VINCENT CHEF-CHEF. Le reformatage des ordinateurs ne peut être ordonné que par le responsable de la cellule !

BLAISE CENTIER. Tu ne nous apprends rien, imagine-toi ! Tu vas donner les ordres pour changer les noms sensibles !

VINCENT CHEF-CHEF. Je ne le ferai pas !

CHARLIE ELIOT JOHNS. Mais quel âge as-tu, Vincent ? Ou plutôt quel âge tu n'as plus ? Tu es prêt à donner le nom de ton père, de ton frère, de ton fils, de ton ami pour l'amour de la vérité et tu n'oses pas donner un ordre qui donnerait enfin un peu de sens à ta vie ? Tu défais Blaise et tu trembles devant l'autorité ? De quel côté tu te trouves ? Que fais-tu ici ? La trahison est-elle une passion chez toi ? Un sport ? Un exercice de relaxation ? Une jouissance ? Trahir te fait-il bander, Vincent ? Rassure-moi et dis-moi que tu es un espion à la solde d'Anatole, je pourrais enfin te respecter ! Dis-le-moi, dis-moi pourquoi tu n'es pas avec lui ? Avec eux ? Tous ceux-là qui ont ton âge et qui enragent contre la rage du monde ?

BLAISE CENTIER. Vincent, écoute-moi, pour garder la tête froide il faut avoir le cœur chaud ! Réponds-moi, penses-tu que la piste *Tintoret*, après tout ce que l'on a appris à son sujet, soit un leurre, une fausse piste ?

VINCENT CHEF-CHEF. Il est possible qu'elle soit réelle !

BLAISE CENTIER. Si elle est possible, alors il faut prévenir l'éventualité d'un attentat ! Pour cela, il faut contrevenir aux ordres. Si tu ne prends pas le risque de te tromper dans les instants qui exigent le plus de prudence, tu ne seras jamais en mesure de diriger les hommes. Quoi que tu fasses, Vincent, tu auras un jour ou l'autre les mains pleines de sang. C'est cela le pouvoir. La désobéissance au pouvoir est le seul savon efficace pour enlever les taches, à défaut d'ôter les odeurs. Crois-moi, je sais de quoi je parle : Charlie et moi venons d'une jeunesse qui a fait de la désobéissance une joie et un bonheur, une manière de vivre et de voyager. Prends le téléphone, Vincent. Le jour où je t'avais rencontré pour t'inviter à te joindre à moi dans cette mission, je t'avais demandé ce que tu ferais dans tes moments de liberté et tu m'as répondu : « J'en profiterais pour remonter la voiture que j'ai démontée il y a longtemps, quand j'étais enfant, et que je me suis toujours promis de rassembler. » Ça m'avait décidé à te défendre alors, envers et contre tous. Va au bout de ta maquette à présent, et rajoute le dernier morceau, le dernier boulon : le courage.

Vincent décroche le téléphone et compose.

VINCENT CHEF-CHEF. Liste des mots sensibles en date du 24 mars / On va les changer / On va les changer tout de même / C'est un ordre / J'en prends la responsabilité / Eh bien, c'est un pari / Je change les mots / Je dicte :
Poésie
Rêve

Enfance
Beauté
Résistance
Peine Peur Colère Chagrin
Père Mère Frère Sœur Fille Fils
Sang
Prophétie
Promesse
Peinture
Mer
Terre
Ciel
Feu
Couleur
Guerre
Jeunesse
Ange Terreur Erreur
Vierge
Viol
Barbare Esprit
Mot Mort Monde
Amitié.

Les voix d'un réseau menaçant se font entendre.
Bourdonnement.

17. Cibles

CHARLIE ELIOT JOHNS. Prenons Paris en exemple. La longitude et la latitude interceptées indiquent le point de repère pour superposer le tableau du Tintoret. À présent, dans le message «L'ange n'est pas seul», il y a cette phrase : «La porte est dans le plafond, il y a donc une clé.» J'ai regardé le tableau pour tenter d'y voir une clé située dans le plafond. Je trouve les angelots. Ils chutent sur la Vierge, ils regardent la Vierge de haut. Il faut alors regarder la ville de haut comme les angelots regardent la Vierge. En les comptant attentivement, je trouve 21 angelots. 21. J'ai essayé avec une carte dont l'échelle serait au 1/21 000e. Ça ne donne rien de concluant. J'ai essayé alors avec une photo satellite qui montre Paris à 21 000 pieds d'altitude. Je trouve quoi ? Sur quoi tombe l'œil du Saint-Esprit ? Le musée Picasso. J'ai appliqué la même règle sur les autres villes. Ça donne, New York : Museum of Modern Art. Londres : Tate Modern. Padoue : Chapelle des Scrovigni. Saint-Pétersbourg : Musée de l'Ermitage. Berlin : Deutsche Guggenheim Museum. Tokyo : Bridgestone Museum of Art. Montréal : Musée des beaux-arts de Montréal. Et tout ça à partir d'un tableau !

BLAISE CENTIER. Il faut donner l'alerte !

DOLOROSA HACHÉ. Des musées. Des musées.

Vincent décroche. Charlie décroche. Blaise décroche. Dolorosa décroche. Aucune tonalité.

Vérification des ordinateurs : aucun réseau.

VINCENT CHEF-CHEF. Ils ont coupé toute possibilité de communication avec l'extérieur !

BLAISE CENTIER. Il faut prévenir les musées !

VINCENT CHEF-CHEF. Impossible !

CHARLIE ELIOT JOHNS. Il doit y avoir un moyen pour atteindre l'extérieur !

VINCENT CHEF-CHEF. Oui, des signaux de fumée !

BLAISE CENTIER. Merde !

DOLOROSA HACHÉ. Qu'est-ce qu'on peut faire ?

VINCENT CHEF-CHEF. Simplement espérer qu'on se soit complètement trompés, qu'on est devenus fous et qu'on a imaginé tout ça !

CHARLIE ELIOT JOHNS. Ce n'est pas possible d'avoir la réponse et de ne pouvoir rien faire !

BLAISE CENTIER. Si c'est ça le plan, les attentats auront lieu exactement au même moment. Il est quelle heure ?

DOLOROSA HACHÉ. Quatre heures…

CHARLIE ELIOT JOHNS. Au Japon il est déjà dix-huit heures…

CLÉMENT SZYMANOWSKI. Il faut attendre !

VOIX MASCULINE. Le temps des revendications
est passé
Voici venu le temps hoquetant.
Hic ! Hic !
Le hoquet que voilà ne craint pas le sursaut
Ne craint pas la gorgée de sang de gorge égorgée
Ni sursaut ni gorgée ne sauront l'interrompre
Nulle respiration retenue
Hic ! Hic !
Voici venu le temps hoquetant !
La peur, la terreur
L'hallali !

18. Attente

Tous dans la salle principale. Ils attendent.
Le téléphone sonne. Vincent décroche.

VINCENT CHEF-CHEF. Allô ?… Bien sûr… bien
sûr… Quoi ?… oui… D'accord, je m'en charge !
(Il raccroche.)
L'attentat a eu lieu !… il y a cinq heures…

Blaise se précipite et allume la radio.

UNE VOIX. … a déclaré le chef de la diplomatie.
Le monde aujourd'hui a les tympans brisés par un
cri qui le laisse sourd et hagard, a-t-il ajouté. Je
rappelle que les dernières estimations font état de

quatre cents morts et plus de douze cents blessés. On parle ici de véritables scènes d'horreur à l'intérieur des musées où ont eu lieu les attentats. On parle de corps démembrés et de tableaux inestimables déchiquetés. Les enquêteurs parlent ici tous d'une vision inconcevable ! Ce sont des tableaux et des cadavres mélangés, on évoque le sang, on évoque la peinture ; et cette conséquence effroyable, qui a été constatée dans chacun des musées attaqués, semble justement avoir été le but de l'opération…

VINCENT CHEF-CHEF. Blaise, Blaise !

UNE VOIX. … «Nous vous forcerons à regarder une œuvre d'art à la hauteur du siècle qui vous rappellera combien chaque époque mérite une beauté à la hauteur de ce qu'elle a produit en laideur.» C'étaient les mots laissés par les kamikazes, âgés en moyenne d'une trentaine d'années.

Vincent murmure quelque chose à Blaise.

BLAISE CENTIER. Quoi ?

UNE VOIX. Je rappelle ici que ce sont huit musées qui ont été attaqués à Paris, Londres, New York, Padoue, Berlin, Tokyo, Saint-Pétersbourg et Montréal. Nous ignorons encore qui sont les auteurs de l'attentat, mais tous les experts s'entendent pour dire que nous sommes face à quelque chose qui relève d'un geste désespéré qui se situe en dehors de toute sphère habituelle. Les dirigeants des huit pays n'ont pas encore pris la parole ; on attend d'un instant à l'autre la déclaration du chef du gouvernement !

Charlie sort précipitamment. Blaise éteint la radio.

BLAISE CENTIER. Le fils de Charlie fait partie des victimes de l'attentat qui a eu lieu à Montréal !

Ils sortent tous les quatre pour apparaître dans le jardin.

19. Le ciel de Victor

Charlie Eliot Johns dans sa chambre au téléphone.

CHARLIE ELIOT JOHNS. Victor, Victor, c'est papa ! Appelle-moi ! Je veux avoir de tes nouvelles, appelle-moi, Victor, appelle-moi !
(Il raccroche. Il recompose.)
C'est moi ! / Victor, tu as des nouvelles de Victor ? / Tu l'as appelé, tu l'as cherché ? / Arrête de crier ! / Au musée ? Il était au musée ? / Quand ça il était au musée ? / Mais j'en sais rien / J'ai essayé de l'appeler toute la matinée / Oui, c'est moi qui lui ai dit d'aller au musée / Tu as un appel sur l'autre ligne ? / C'est peut-être lui ! Tu me rappelles aussitôt, je vais regarder s'il m'a envoyé un mail.
(Il raccroche.)

Il était au musée! Il était au musée… putain, l'ordinateur!

Il sort précipitamment. Il traverse le jardin.

BLAISE CENTIER. Charlie! Charlie, attends!

Charlie entre dans la salle de travail. Va à son ordinateur qu'il ouvre. Il tape sur le clavier.

CHARLIE ELIOT JOHNS. O.K.!

Dolorosa entre dans la salle principale.

DOLOROSA HACHÉ. Charlie…

CHARLIE ELIOT JOHNS. Il l'a envoyé à 10 h 30 du matin… Ouf!… C'est bon! Écoute ça! « Papa, Je suis allé finalement au musée. Finalement c'est pas pire, j'ai juste l'impression d'être dans les soins intensifs d'un hôpital, sauf qu'au lieu d'avoir des malades, c'est des tableaux. Bon. J'en trouve quelques-uns de beaux, que j'ai pris en photo, mais y en a pas tant que ça, fait que j'ai surfé sur le net et j'ai été chercher des images de tableaux d'autres musées. Bon. C'est de la triche mais au moins je surfe depuis le musée, fait que c'est comme pas interdit. Bon. Je continue puis tout à l'heure je t'envoie un autre message. Victor. » Il y en a un second! Avec une pièce jointe.
(Il l'ouvre.)
« Cher Papa. Je suis encore au musée. Je t'envoie tout. Comme promis. Victor! »

Il ouvre le document joint qui commence à se télécharger.

DOLOROSA HACHÉ. Charlie…

CHARLIE ELIOT JOHNS. Il l'a envoyé à 12 h 58 depuis le musée… À quelle heure a eu lieu l'attentat à Montréal ?

DOLOROSA HACHÉ. 13 h exactement… Charlie !

Le téléphone dans la chambre de Charlie sonne.
Il se précipite.
Charlie traverse le jardin.
Il arrive dans sa chambre.
Il décroche.

CHARLIE ELIOT JOHNS. Allô ? / Quoi ?? / Quoi ??? / Qu'est-ce que tu me racontes ? / Tu l'as vu ?? / Il est devant toi ??! / Passe-le-moi !! / Passe-le-moi !!!! / Mon Dieu !! Mon Dieu !!!!!!

Charlie crie.
Il sort de sa chambre.
Traverse le jardin.
Passe au milieu des statues et s'y appuie désespérément.
Charlie pousse un profond hurlement.
Il poursuit sa traversée.
Blaise et Vincent le soutiennent.
Il se débat et retourne dans la salle principale.
Vincent et Blaise le retirent et le soutiennent.
Dolorosa a une violente contraction.
Elle perd les eaux.

Clément la soutient.
L'allonge.
Le téléchargement du document que Charlie a reçu se termine.
Le document s'ouvre.
Diaporama en musique des peintures choisies par Victor.
Dolorosa accouche dans la peinture.
Un enfant naît.

POSTFACE

Charlotte Farcet

« *ABOLI BIBELOT D'INANITÉ SONORE* »

Ciels occupe une place singulière dans *Le Sang des promesses*. Représentée séparément, elle est un « objet » posé à côté de *Littoral*, *Incendies* et *Forêts*. Wajdi Mouawad l'a souvent définie comme un contrepoint. Elle l'est d'un point de vue narratif, mais aussi – et c'est à cela que nous nous attacherons – d'un point de vue esthétique, déviant la ligne de fuite. « Verticale », *Ciels* est, pourrait-on dire, perpendiculaire à la trilogie ; deux segments reliés par un cri, « cri hypoténuse[1] ».

Il y a dans l'édition du texte de *Ciels* une discrétion, un lieu d'omission volontaire, insensible à la lecture. *Ciels* peut se lire à la manière des autres pièces du quatuor – c'est d'ailleurs pour cette raison que Wajdi Mouawad a choisi de libérer le texte du spectacle, en effaçant toute trace de la mise en scène. Pourtant elle ne s'est pas élaborée comme *Littoral*, *Incendies* et *Forêts*. Avant qu'aucun mot ne soit écrit, avant même que l'histoire ne soit entièrement connue, un espace a été conçu, espace que l'on pourrait rapprocher d'un dispositif ou d'une installation muséale. La préface de Wajdi Mouawad l'évoque succinctement, sans le

---

1. Wajdi Mouawad, *Ciels*, Leméac/Actes Sud, « Babel », 2012, p. 9.

décrire : « *Ciels* n'a pas été pensé dans un rapport frontal, mais dans un contexte scénographique qui intègre les spectateurs dans le corps même de la représentation[2]. » C'est-à-dire non seulement à l'espace mais au récit. L'écriture a été profondément déterminée par ce choix, conduite par lui dans un rapport architectural et musical qui mêlait aux mots l'image et le son, et éveillait les sens, ouïe, vue, toucher. L'édition efface ce relief, unit ce qui était dissocié, pour offrir un texte.

C'est la trame de ces voix que nous souhaitons raconter, afin de rendre perceptible la singularité de *Ciels* dans son projet initial : cet « objet » autonome, enveloppant le corps des spectateurs, posé dans le vide, oscillant entre réalisme et abstraction, et réinterrogeant la poésie.

UNE NEF BLANCHE

INTUITION

En 2002, au hasard d'une nuit et de programmes de télévision, Wajdi Mouawad découvre le documentaire *Échelon*. Ce nom est celui d'un système d'écoute mis en place par les États-Unis pendant la guerre froide avec la Grande-Bretagne, le Canada, l'Australie et la Nouvelle-Zélande. Ce système permet d'intercepter, écouter, trier et recouper les conversations téléphoniques d'un pays entier grâce à des ordinateurs capables de recherches thématiques indexées par des mots-clefs. Malgré la disparition de la guerre froide, ce

---

2. *Ibid.*, p. 10.

programme est resté en place, utilisé à des fins d'anti-terrorisme, de surveillance, d'espionnage militaire ou économique. Mike Frost, ancien agent du CSE, agence canadienne chargée des interceptions électromagnétiques, en explique le fonctionnement et la géographie. Se promenant dans la ville d'Ottawa, il désigne l'ambassade des États-Unis et le haut du bâtiment, long toit sans fenêtre, orné de deux coupoles : c'est de là que la rue, la ville, le pays sont écoutés. L'absence de cohérence architecturale le trahit : certains rajouts correspondent à l'emplacement d'antennes et autres capteurs. Wajdi Mouawad est frappé par ce passage : il connaît parfaitement ce bâtiment, qu'il a souvent longé au cours de ses promenades. Jamais il n'aurait pu se douter de ce que cet homme décrit. La réalité de l'écoute devient extrêmement concrète. Et il lui semble – sans doute à tort, a-t-il bien compris ? – qu'il existe dans ce bâtiment une pièce sans fenêtre où des gens ne font qu'écouter. L'impression, forte, le traverse, puis disparaît.

Deux ans plus tard, en 2004 – après avoir créé *Incendies* et réalisé l'adaptation cinématographique de *Littoral* –, Wajdi Mouawad effectue un voyage à New York en compagnie de François Ismert. C'est la première fois que l'un et l'autre s'y rendent depuis les attentats du 11 septembre 2001. Plusieurs jours durant, ils sillonnent les avenues, les montent, les descendent, marchent de longues heures en ligne droite, du nord vers le sud, du sud vers le nord. Par instants ils s'arrêtent, dans un café, dans un musée, au hasard de ce qui survient. Ils visitent la Biennale du Musée Whitney. Wajdi Mouawad y découvre une œuvre de Cory Arcangel : un ciel en mouvement est projeté sur un écran ; un banc est installé devant, sur lequel le spectateur peut s'asseoir. Wajdi Mouawad y reste longtemps, impressionné par les sensations qui le traversent. Assis sur ce banc, observant ce ciel bouger, lui revient le murmure des voix qui depuis son arrivée l'entoure, en toute langues. Probablement parce qu'ils sont à New York pour la première fois depuis le 11 septembre, la notion de terrorisme l'effleure et lui ramène à l'esprit cet instant du documentaire où des hommes enfermés dans un lieu sans fenêtre écoutent. Soudain ces différents éléments s'entrechoquent et se cristallisent en une situation : dans un espace fermé, ceint de quatre écrans, une équipe de scientifiques tente de déjouer un attentat terroriste. Autour d'eux, projeté sur les écrans, un ciel dérive : nuageux, puis de plus en plus lourd, jusqu'à l'orage, jusqu'au déluge, avant de laisser paraître, entièrement dégagé, un ciel étoilé. *Ciels* se révèle, et son espace qui ne peut être frontal.

Pendant plusieurs années, *Ciels* accompagne Wajdi Mouawad en silence. Elle s'assied en arrière des répétitions de *Forêts*, puis de *Seuls*, attendant patiemment son tour. Il arrive qu'en chemin des bribes ou des intuitions soient trouvées, mais elle se montre prudente, devinant qu'un changement s'opère. Après *Forêts*, Wajdi Mouawad éprouve la sensation d'avoir épuisé une manière d'écrire et de raconter. Se plonger des mois entiers dans une histoire, la creuser, la fouiller, pour tenter d'en débusquer le moindre indice, lui semble désormais impossible, par épuisement peut-être ou désir de mouvement. *Seuls* devient un espace de recherche. Son silence évoque celui d'un atelier ; Wajdi Mouawad s'immerge « seul » et de gestes en gestes, fabriquant avec tout ce qui se présente à lui, il découvre des matières nouvelles : le son, l'image, la peinture.

Seuls laisse une profonde empreinte en lui. S'il sait que *Ciels* renoue avec *Littoral*, *Incendies* et *Forêts*, pour clore un geste, il l'aborde depuis ce qui s'est déplacé et à partir des outils découverts. Intuitivement il comprend que l'espace, déterminant, doit être premier : la nature même de l'histoire – une cellule d'écoute antiterroriste – implique la présence de nouvelles technologies et donc le recours à de tels matériaux. Afin de les essayer, d'en éprouver la justesse ou la pertinence, le décor doit être là. De même que, pour éprouver un texte, Wajdi Mouawad a le besoin de l'entendre dans le corps des acteurs, de même devine-t-il l'importance de l'espace.

Des contraintes financières, légales, techniques viennent s'ajouter. Lorsqu'il évoque à ses collaborateurs l'idée de s'extraire d'un rapport frontal, des questions lui sont posées : quel sera le rapport ? Le spectacle pourra-t-il être joué dans un théâtre ? Sur un plateau ? Ou aura-t-il besoin d'un autre lieu ? Quelle sera la jauge ? Car le projet doit être réalisable et viable financièrement. Toute construction d'un espace intégrant les spectateurs implique un cahier des charges très complexe, parmi lesquelles les normes de sécurité ou l'accueil de personnes handicapées. Autant d'éléments qui imposent de décider de l'espace en amont des répétitions.

Étrangement, et pour la première fois, cet ordre ne semble pas contredire l'intuition artistique de Wajdi Mouawad, au contraire. *Ciels* commencera donc par un geste scénographique, qui indiquera la nature singulière de ce spectacle : un « objet » liant l'expérience théâtrale et muséale.

Wajdi Mouawad explique son projet à Emmanuel Clolus, scénographe qui l'accompagne depuis *Forêts* et qui, tel l'architecte, d'après ce qui lui est conté, se met à dessiner la nef.

La première proposition épouse l'intuition new-yorkaise. Certaines photographies de la maquette sont présentées dans *Le Sang des promesses*. L'espace de jeu est circulaire, fait d'un plateau tournant qui pourra accueillir les acteurs et les régisseurs. La technologie étant au cœur du projet, il semble intéressant d'intégrer ces derniers au dispositif. Les spectateurs sont assis tout autour, en cercle, pour des raisons de visibilité et de jauge. Derrière eux, en hauteur, fermant l'espace, sont installés des écrans : acteurs, spectateurs, régisseurs, à quelque endroit qu'ils se trouvent, voient ainsi ce qui est projeté.

Découvrant la maquette, Wajdi Mouawad comprend que sa première intuition n'est pas juste. L'espace, trop restreint, évoque une piste de cirque et place acteurs et spectateurs dans une situation impossible : la cellule antiterroriste, qui par définition travaille dans le secret, devient l'objet de tous les regards et le spectateur, voyeur dégagé de toute responsabilité, de toute implication, attend sa performance.

Pourtant le désir d'échapper à un rapport frontal persiste. Tandis que d'autres esquisses sont réalisées, Wajdi Mouawad tente de l'analyser. Il associe le rapport frontal à la possibilité technique, même infime, indiscrète ou périlleuse, pour un individu d'assister dans le réel à ce qu'il voit sur scène : en écoutant ses voisins par exemple, en regardant par sa fenêtre, en lisant la presse. Or une cellule d'écoute exclut toute possibilité d'intrusion. Le tiers est absolument inconcevable, le spectateur par essence impossible ; on ne peut pas écouter une cellule d'écoute. Il faut donc que le spectateur ait une raison d'être là, que sa présence soit justifiée par le spectacle lui-même, intégrée à l'espace et au récit. Qu'il ne soit pas spectateur mais partie prenante. L'intuition première s'inverse : les spectateurs ne doivent pas être à l'extérieur mais à l'intérieur, au cœur même de l'espace, et les acteurs tout autour.

La nef

L'espace qui naît est une boîte blanche dans laquelle on entre par sept doubles portes. De l'extérieur, la structure métallique est recouverte d'un sinthylène laiteux opaque ; à l'intérieur, quatre murs, longs d'une quinzaine de mètres, hauts de six, blancs. Chaque mur recèle deux rideaux, impossibles à deviner : lorsqu'ils se lèvent, des alcôves apparaissent, révélant l'espace de jeu ; six plateaux étroits et peu profonds, identiques de taille, sur trois des côtés ; et un grand plateau – tout à la fois plus large d'ouverture et plus profond – dans le quatrième mur. Ces scènes sont surélevées et permettent la visibilité.

Tout ou presque est blanc : rideau, mur intérieur, mur extérieur, mobilier.

Les régies – son, vidéo et lumière – sont intégrées au décor, placées entre les alcôves, dérobées par un simple tulle.

Les spectateurs sont au centre, en dessous du niveau des scènes. Ils forment un carré homogène sans espace de circulation. Assis sur des tabourets pivotants, très proches les uns des autres, ils peuvent tourner à 360°

123

et choisir le lieu où poser leur regard[3]. Sans spectateur, ces tabourets, blancs également, évoquent une forêt miniature, plantée sur un plancher de bois blanc. Un chemin en fait le tour.

Si sept doubles portes donnent accès à l'espace, quatre seulement sont ouvertes au public. En entrant, écrans baissés, il est impossible d'avoir une sensation de direction : ni cour, ni jardin, ni nord, ni sud, aucun repère ne permet a priori de deviner où se situe l'espace de jeu. L'espace désoriente et crée un flottement.

Ciels s'apparente à une installation muséale. Trop grande pour un plateau de théâtre, elle requiert un espace vide et vaste : gymnase, entrepôt, hangar. Il fut même envisagé de jouer au Musée des beaux-arts de Montréal. L'objet, autonome, équipé de son propre système de son, d'éclairage, de projection, est posé dans le vide, à même le sol. Selon les configurations de l'accueil, il est possible de l'observer de l'extérieur, de tourner autour, avant d'y entrer : la boîte, illuminée de l'intérieur, évoque alors un organisme vivant.

UNE RÈGLE DE TROIS UNITÉS

L'espace conçu fonctionne extrêmement différemment de ceux des autres pièces. Jusque-là, le plateau était

---

3. Longtemps la question du siège s'est posée. Le spectateur devait pouvoir regarder chaque scène et facilement bouger, pivoter. Le plus simple était d'utiliser des tabourets tournant sur eux-mêmes. Était-il possible, pour le confort des spectateurs, d'y ajouter un dossier ? Mais un dossier indiquait une direction – et l'équipe tenait à ce que le spectateur entrant dans l'espace se sente perdu, sans orientation possible, ne sachant où cela allait se passer – et nécessitait pour chaque siège un espace plus grand. Or à moins de deux cent cinquante spectateurs, le projet n'était pas viable économiquement. Les sièges choisis étaient donc de simples tabourets, munis d'un coussin.

un espace vide, représentant tour à tour une multitude de lieux, le Québec, la France ou un pays du Moyen-Orient, un orphelinat, une prison, une salle de cours, un club de boxe, l'office d'un notaire, un cimetière, un zoo, une morgue, un littoral. Espace «polymorphe». Mais *Ciels* impose un ancrage unique. Pour que le spectateur accepte l'abstraction de cette boîte et ne s'y trouve pas égaré, chaque espace doit être justifié et ne renvoyer qu'à un seul référent.

La scène la plus grande sera donc la salle de travail et les six alcôves les chambres des personnages, toutes sobres, au mobilier identique, blanc, minimaliste, atemporel. Si le lieu est celui de la plus grande technologie, certains accessoires détonnent : téléphones à roulette, ordinateurs-valises en aluminium gris. Ces détails permettent d'échapper au réalisme et à l'exhaustivité, imposés au cinéma. Le décor fonctionne par métonymie. Certains éléments distingueront les chambres : la voiture de Vincent Chef-Chef, les dossiers de Blaise, le vide de la chambre de Dolorosa, la photographie de Victor dans celle de Charlie Eliot Johns, les livres, la reproduction du Tintoret, le désordre de celle de Valéry, dont l'accès est interdit par deux grandes bandes rouges.

L'espace central – celui des spectateurs – est un jardin de statues : les personnages viennent s'y promener et adressent aux statues-spectateurs leurs confidences. La présence des spectateurs est ainsi entièrement justifiée, complices au silence de pierre.

L'espace et l'intégration des spectateurs imposent également un rapport au temps distinct des œuvres précédentes. Avec l'ici, le maintenant devient essentiel. Les corps sont ceux des vivants ; seul le présent existe, les époques ne se croisent pas, le passé ne surgit pas : « *Ciels* ne fait pas se côtoyer ni dialoguer les vivants avec les morts[4]. » Valéry, mort, n'est qu'une image, tout comme Victor, absent. Temps unique, non dans le sens de l'unité classique, mais de l'unité du fil narratif, déroulé au présent et chronologiquement. Tout se passe, se joue « maintenant ».

Ce présent cependant reste abstrait. Si la référence à l'Histoire est omniprésente, aucune date précise, c'est-à-dire aucune année, n'est donnée à l'intrigue. Noël, le jour de l'An, le 31 janvier, le 25 mars sont de simples repères, mesures d'un écoulement et symboles d'un calendrier. L'espace-temps de *Ciels* se défait du réel, en empruntant ses signes. Il s'inscrit dans un suspens, qui coïncide seulement avec celui des spectateurs : lorsque les portes se ferment, il devient partagé, commun, unique. Nouvelle abscisse et nouvelle ordonnée.

Cet ancrage a sans aucun doute déterminé celui des acteurs. Pour la première fois, chaque acteur n'interprète qu'un personnage, comme s'il était le prolongement de cet espace-temps. Le personnage lui-même est en partie défait de son passé, seul ce qui, à l'instant, se produit et affecte sa vie, compte.

Ciels opère avec des nombres premiers ; pour que le flottement de la boîte soit possible, ce qui se trouve dedans, lui, doit être fixe, à la manière d'un train, d'une voiture, ou d'un avion : seule la permanence des objets à l'intérieur permet de ressentir et comprendre le mouvement qui s'effectue par rapport à l'extérieur.

---

4. Wajdi Mouawad, *Ciels*, *op. cit.*, p. 10.

L'ÉCRITURE

Dans cet espace, c'est toute l'écriture qui se trouve transformée. La nef démultiplie les surfaces et offre un volume que sons, vidéos, corps et mots peuvent venir habiter. Elle appelle, comme la situation – une cellule d'écoute antiterroriste – une forme plurielle, polyphonique. C'est à elle que Wajdi Mouawad s'attache tout au long de la création, créant puis tissant les matières les unes avec les autres, les entremêlant afin de faire résonner l'histoire.

Cette pluralité impose cependant certaines contraintes et une organisation particulière. Il est impossible de tout élaborer, de tout construire de front ; sons et images, *Seuls* le lui a appris, ont leur propre rythme et délai de fabrication, trop longs pour être superposés aux répétitions. Il faut dissocier les écritures, anticiper, avec la difficulté toute particulière de décider de certaines répliques avant même que la scène ne soit écrite et que l'histoire ne soit entièrement connue. Ces matières seront donc principalement élaborées en amont des répétitions, entre la première semaine qui a réuni l'équipe autour de la table, au mois de décembre, et le début réel des répétitions, au printemps, où le spectacle se composera avec elles.

LE SON

Du seul point de vue narratif, le son est au cœur du projet. Il en est l'une des sources, puisque devant le ciel de Cory Arcangel revient à Wajdi Mouawad le fourmillement des voix tombées dans son oreille au fil de ses promenades. C'est de ce fourmillement qu'il souhaite envahir l'espace. Dans un espace fermé, recréer une Babel immatérielle, dont le désordre impétueux et volatile viendrait envelopper le corps des spectateurs. Faire entendre la joie, mais aussi le chagrin, l'égarement, la colère d'une époque où les frontières s'abolissent sans qu'un sens ne surgisse.

L'écriture sonore ne procède pas directement de ses raisons narratives, mais d'un désir d'écoute et de collecte. En janvier 2009, avec la complicité de l'Espace Malraux, Wajdi Mouawad, Michel Maurer, concepteur sonore depuis *Forêts*, et François Ismert, longtemps réalisateur de documentaires radiophoniques, passent dix jours à Chambéry à rencontrer des personnes d'âges, de sexes et de nationalités différents. Ils posent des questions, écoutent, enregistrent : qu'est-ce qui vous inquiète ? Vous souvenez-vous de votre maison d'enfance ? L'un de vos parents vous a-t-il dit une phrase qui vous a marqué ? A contrario de la cellule antiterroriste, ils recueillent une parole dans un rapport d'échange, à la rencontre de l'autre, sans rien voler. Ni effraction, ni infraction. Chacun répond dans sa langue maternelle, enfants, adolescents, adultes, Français, Sud-Américains, Marocains, Algériens, Chinois. Au bout de dix jours, souvenirs, rêves, promesses composent une matière considérable.

Les semaines suivantes, empreints de cette expérience, Wajdi Mouawad et François Ismert poursuivront ces entretiens au gré de leurs déplacements, un «hibou» toujours dans leur poche – c'est ainsi que sera nommé l'appareil enregistreur. Ils recueilleront d'autres paroles, d'autres langues : japonais, hongrois, russe, polonais, perse.

Ces promenades les conduiront aussi à glaner des ambiances sonores, des conversations échappées, brouhaha, éclats, mots perdus, révélant l'humeur d'une rue, d'une ville, d'un instant.

Tandis que cette matière se compose et grandit en toute liberté, Wajdi Mouawad songe à celle, plus informative, dont il aura besoin pour la pièce. Il écrit des phrases qui pourraient lui être utiles, les fait traduire et demande à certains de les enregistrer. Ce seront les messages des terroristes ou cette tranche de vie appelée «Rhizome de vies invisibles».

La partition sonore la plus écrite est celle d'Anatole. Ce sera le premier geste d'écriture textuelle à être réellement posé, pierre d'ouverture qui infléchira l'œuvre puisqu'elle fera d'Anatole un poète. Ce geste surgit d'une rencontre, celle de Bertrand Cantat. Elle bouleverse Wajdi Mouawad et crée en lui la déflagration de ce long poème qu'il lui demande, avec évidence, d'interpréter. Le grain, l'âme, la déchirure de Bertrand Cantat donnent à Wajdi Mouawad le «son» de *Ciels*. Cet enregistrement est suivi d'autres, improvisés selon les besoins : Wajdi Mouawad écrit le texte d'un message qu'il envoie par sms et, quelques jours plus tard, Bertrand Cantat laisse le message sur un répondeur. Le canal est celui d'Anatole. La qualité de ces messages ne sera pas touchée et donnera à *Ciels* sa tessiture : les voix y seront musique.

Toute cette matière, collecte libre, phrases enregistrées, poème, sera façonnée au cours des répétitions. François Ismert, Michel Maurer et Michel F. Côté[5], compositeur, mixeront, travailleront le grain, l'épaisseur, la distance des voix tels des tisserands, pour créer une matière mélodieuse – «ciel», «magma», «chaos» –

---

5. Michel F. Côté a également composé la musique d'*Incendies*.

qui viendra envelopper le spectateur plongé dans l'obscurité.

> Ciel de millions de voix.
> Chaos de langues, de paroles, d'intimités,
> Interceptées, scannées, classées.
> Un magma qui dure.
> Un signal. Une voix est repérée.
> Décodée, syntonisée, clarifiée
> Elle surgit[6].

La musique, dont toute trace a naturellement disparu avec l'édition, est la complémentaire de ce travail sonore. Dans l'intervalle des mois qui séparent les deux périodes collectives de répétitions[7], à partir de l'histoire contée, Michel F. Côté compose des séquences, modulables. Certaines matières sont électroniques, rappelant les écoutes, créant une tension ; guitare, batterie et instruments à vent tissent les autres morceaux, proposant des couleurs feutrées, mélancoliques, charnelles. La musique intervient différemment des voix. Elle n'appartient pas à la fiction, n'est pas appelée par elle, mais vient s'y glisser pour créer une distance, un suspens, révélant les silences et l'émotion que la situation interdit : « Évitez les confidences, l'affectif. Ici, vous êtes un outil. C'est tout. Chacun ici est un outil qui remplit une fonction. Personne ne sait rien sur personne[8] », insiste Blaise à

---

6. Wajdi Mouawad, *Ciels, op. cit.*, p. 15.
7. Une première semaine réunit en décembre 2008 l'ensemble de l'équipe, qui se retrouve ensuite au printemps suivant pour trois mois. C'est entre ces deux périodes que Wajdi Mouawad a recueilli la plupart des matériaux sonores et visuels.
8. Wajdi Mouawad, *Ciels, op. cit.*, p. 20.

l'entrée de Clément. Doute, trouble, chagrin sont en partie portés par la musique, tel un contrepoint.

L'IMAGE

Comme le son, l'image est liée à l'apparition du projet et appelée par la situation. Dans le contexte d'une cellule antiterroriste, elle était un outil de communication incontournable.

Avant le détail de l'histoire, avant les mots, des images ont surgi dans l'imaginaire de Wajdi Mouawad, sans ordre ni hiérarchie : vidéoconférence, conversation d'un père avec son fils, lettre testamentaire, explication du protocole terroriste, diaporama de tableaux, chute de mots, images du siècle. Vaste page blanche, l'espace offrait des surfaces et des échelles de projection très variées, susceptibles de créer des sensations différentes, d'un rapport quotidien à cinématographique en passant par celui d'une expérience sensible. Tout était écran, de l'objet réaliste d'un ordinateur, d'une télévision, aux murs, à la structure de la nef, jusqu'aux corps des acteurs et des spectateurs. Pour les mettre en espace, Wajdi Mouawad devait préalablement disposer des images.

Il y a donc travaillé seul, en amont des répétitions et selon ses déplacements, imaginant une manière de procéder pour chaque cas, entre collecte, écriture et improvisation. La vidéoconférence a en partie été écrite, puis tournée au hasard des rencontres, chaque cellule séparément, les circonstances décidant des langues et de la géographie. La complexité de la situation – direct à plusieurs voix, scène d'exposition clef – a exigé de nombreuses prises. Les messages et la lettre de Valéry, bien plus littéraires, ont été écrits et tournés dans une relation presque cinématographique. Aucune écriture en revanche n'a précédé le tournage des scènes de Victor. À chacun de ses passages à Montréal, Wajdi Mouawad rendait visite au jeune homme – «Victor» de son vrai nom. Installé dans sa chambre, il lui exposait la situation, confiait les informations importantes à transmettre puis le laissait libre devant la caméra. C'était précisément la spontanéité que Wajdi Mouawad souhaitait capter, l'adolescence, l'innocence, sans les recréer, sans les représenter. Pour la première fois l'adolescent n'était pas joué par un acteur mais par un adolescent lui-même, amené au cœur du théâtre par le biais d'un écran, dans toute sa pureté. C'est donc la voix de Victor, l'agencement de ses phrases, ses répétitions, ses hésitations, ses mots que l'édition retranscrit, herbes découvertes dans la beauté d'un terrain vague.

Le décryptage de l'équation de Valéry, le plan de l'attentat, le diaporama de Victor ont également été pensés comme des séquences visuelles, avant même d'être narration. Mais elles ne demandaient pas la même préparation, elles n'exigeaient pas de tournage, seulement un montage d'images fixes, rassemblées naturellement au cours des mois de préparation.

Projetées, ces images transformaient la nef en lanterne magique. La projection n'était pas, la plupart du temps, restreinte à un cadre, mais envahissait les murs. Le visage de Victor était projeté sur des écrans de plus en plus grands, d'un espace privé – la chambre de Charlie Eliot Johns – à un espace public – la salle de travail. La vidéoconférence embrassait les quatre murs, plongeant le spectateur au centre d'une fresque ; lorsqu'elle s'achevait, visages et bustes perdaient leur précision et dans un instant subreptice, avant de disparaître, se transformaient en peinture. Le projet de l'attentat, exposé par Clément, s'affichait progressivement sur l'ensemble des murs. Le visage de Valéry était, pour ses messages, de la taille d'un écran d'ordinateur, avant d'occuper, lorsque Clément parvenait à décrypter son poème, les deux écrans de la scène principale, projeté en double. C'est là aussi que s'ouvrait à la fin du spectacle le diaporama de Victor ; les tableaux choisis par l'adolescent noyaient corps et mur et «Dolorosa accouch[ait] dans la peinture[9]».

Chacun de ces exemples était appelé par la fiction. En deux endroits cependant, l'image intervenait sans être convoquée par elle, librement. Ligne parallèle, surgie du silence, révélant un double fond. Comme avec la musique, perçaient alors l'imaginaire, le trouble, l'égarement.

La première de ces deux séquences coïncidait avec la didascalie : «*Clément ferme l'ordinateur et sort*». Tel un fil ou le mouvement d'un traveling, elle liait ensuite les séquences de la scène 13, «Le temps». Pensée par Wajdi Mouawad, elle a été réalisée par Adrien Mondot, car elle nécessitait un réel travail de programmation. Alors que les derniers mots de Valery venaient d'être entendus, son visage s'effaçait pour laisser réapparaître le texte du poème sur le mur de la salle de travail. Soudain les lettres se détachaient de leur ligne, emportées par un vent imperceptible, et glissaient le long des murs. Vol, pluie, rebond se succédaient. Le lieu plongé dans l'obscurité, les lettres seules se mouvaient, telles des feuilles, effleurant les corps des spectateurs.

---

9. *Ibid.*, p. 114.

La seconde séquence est celle des « Gisants » :

Chacun dans sa chambre. Tous suivent les informations à la télévision.
Les chaînes changent. Tous dorment.
Un bombardement.
Il s'intensifie.
Devient terrifiant[10].

Ces quelques lignes, à la mi-temps du spectacle, constituaient un moment extrêmement fort, abîme dans lequel tout sombrait, nuit d'un cauchemar partagé. Toutes les cellules étaient ouvertes, chaque personnage tirait l'écran de sa télévision et se préparait à se coucher. Les images étaient celles de l'actualité. Brouhaha de fonds sonores. Alors que les personnages s'endormaient, les images grandissaient, envahissaient le mur de leur chambre. Eux couchés ressemblaient à des gisants. La nature des images changeait : c'était désormais l'histoire du vingtième siècle et son lot d'hécatombes qui imprégnaient les murs. Les rideaux se baissaient, les images se projetaient sur les écrans extérieurs, grandissaient encore, jusqu'à occuper la totalité de l'espace. Huit projections, qui dans un ordre différent reprenaient les mêmes images, les mêmes séquences et formaient un tableau continu. Le spectateur était noyé. Soudain le bruit d'une bombe : sa course, longue, puis son explosion. Une seconde. Tout s'éteignait ; les bombes se multipliaient, le bruit était assourdissant. Et, dans la proximité des spectateurs, chaque corps contigu à six autres, dans ce ciel qui soudain s'était éteint, naissait la sensation de l'abri : tous réfugiés, isolés, sans repères, les bombes dehors.

---

10. *Ibid.*, p. 76.

À la fin du bombardement, sur les murs, du haut vers le bas, des mots chutaient telles des cendres, dans toutes les langues.

Ce seul exemple peut faire sentir à quel point *Ciels* n'était pas seulement une écriture textuelle. Son et image, en habitant l'espace, le déployaient et le faisaient vibrer comme le coffre d'un instrument.

LES MOTS

Le texte s'est écrit dans l'espace, à partir de lui. Sa construction est liée à ces quatre murs : six chambres, une salle de travail, un jardin. Lorsqu'il découvre la nef, Wajdi Mouawad comprend que l'écriture doit se déplacer d'un lieu à un autre, le cube impose une alternance géographique. Cette alternance suggère des rapports au texte, à la parole, à la langue différents : la salle de travail est le lieu des écoutes, un lieu collectif, d'échange, de débat, de confrontation ; les chambres protègent une intimité et offrent un retrait ; le jardin recueille les aveux, les secrets, les confidences.

Wajdi Mouawad pressent aussi l'importance du rythme de la partition. Naturellement il compose une alternance entre scènes dialoguées et silences, scènes discursives, techniques, et scènes sibyllines, sensibles. Les premières déroulent le fil de l'intrigue, les secondes en révèlent les plis.

Si Wajdi Mouawad écrit de nuit le texte des scènes collectives, avant leur mise en place, comme il l'a fait pour *Littoral*, *Incendies*, *Forêts*, aucun mot ne précède les séquences des chambres. Là, dans le sillon de *Seuls*, le processus s'inverse ; debout dans l'espace, il donne des indications à chacun : aux acteurs place et parcours, quelques phrases parfois ; aux concepteurs mouvement de la lumière, entrée et sortie de la musique, projection de l'image ; aux techniciens lever et baisser de rideaux. Il écrit ainsi, par les corps, l'espace, les matières ; la précision de la parole est encore secondaire. Lorsque la trame paraît, il retourne à la nuit, précise le texte, écrit. Les mots, dans leur écrin, s'épanouissent.

Les registres de ces scènes ne sont pas les mêmes : la langue de «Cellule francophone», «Présentations», «Vidéoconférence», n'est pas celle de «Polyphonie vivante», ou «Promesses», plus elliptique, ni celle de «La vérité», qui devient brûlante, ardente, tendue, gueule béante ouverte sur la gorge de chacun. Cet écart existe aussi entre les personnages : la langue de Victor n'est pas celle de Blaise, ni celle de Clément, ni celle d'Anatole. L'écriture était dans *Littoral*, *Incendies*, *Forêts* plus homogène, la parole y était un flux qui traversait les personnages, partageant cri et chagrin. Elle passait de l'un à l'autre, comme l'acteur d'un personnage à l'autre, l'espace d'un lieu à un autre, le temps d'une époque à une autre. *Ciels* appelle la différence, la précision, le contraste. Serait-ce le prolongement de l'ancrage du temps, de l'espace, de l'acteur ?

En s'ouvrant à l'espace, l'écriture éclate et se structure comme un poème. Si l'on observe le texte, on peut remarquer en effet que sa composition, musicale, s'en approche. L'alternance des scènes évoque celle de strophes au mètre différent : scènes collectives, longues, techniques ; scènes intimes, brèves, à la parole trouée. Tel un refrain, les voix viennent ponctuer et scander cette variation, qui éclate dans les «Gisants» et «La vérité» : là le temps se dilate, s'obscurcit, le vers s'allonge, la voix s'emporte et lance l'hallali qui annonce le cri.

POÉSIE

La question de la poésie a hanté Wajdi Mouawad au cours de cette création, si concrètement présente dans *Ciels*, à travers les poèmes d'Evgueni Kriapov, à travers les figures de Valéry, Anatole et Clément, interrogée, débattue, disséquée presque, sans qu'une ligne claire n'apparaisse, sans qu'une certitude ne soit affirmée :

> Vincent Chef-Chef. [...] car ni la poésie ni la beauté dont vous vous revendiquiez vous et Valéry, malgré l'importance que je leur reconnais, ne pourront empêcher un attentat, rien de ce qui compte tant à vos yeux, votre culture, votre suffisante éducation, cet air supérieur de celui qui sait, de celui qui a lu, de celui qui connaît, cette sensibilité dont votre esprit se targue, ne pourront ni sauver les gens, ni ramener les morts à la vie, ni rendre justice aux victimes[11] !

Vincent ira jusqu'à parler de «connerie» en entendant les vers de Kriapov. Malentendu autour de la poésie, inquiétude sur son statut lorsqu'elle est institutionnalisée, à l'image d'un tableau dans un musée, tombant sous la coupe du pouvoir, ou interrogation de l'artiste lui-même, la cherchant de toute son âme mais incertain d'y parvenir, la question traverse *Ciels*.

Où naît la poésie dans *Ciels*? Du contraste, du frottement des contraires : un discours informatif dans une image picturale, des mots qui chutent après un bombardement. Elle apparaît en oblique, dans les silences, les béances, dans les gestes, les mouvements. La mise en scène s'applique à composer des tableaux et des bas-reliefs. Le décor – ces cadres surélevés si

---

11. *Ibid.,* p. 90-91.

peu profonds qu'ils donnent la sensation d'un aplat – s'y prête. Dans son dispositif, l'espace évoque l'architecture de certaines chapelles, telle celle des Scrovigni à Padoue, toute entière peinte de scènes de la vie du Christ – et qui avait si fortement frappé Wajdi Mouawad. Les postures des corps sont donc longuement travaillées, une main levée comme celle de l'ange Gabriel, silhouettes de profil, fixes, tenues, ciselées, contrastant avec le réalisme de certains passages du texte.

La poésie de *Ciels* ne tient pas au texte seul, mais au tissu qui lie aux mots le son, l'image, la lumière, la musique, à cette maille complexe faite des outils, signes et abîmes, du monde contemporain. Ordonnés dans l'espace comme les mots d'un poème sur la page, ces signes forment une constellation qui, par un jeu de miroir, révèle l'écart entre une langue de communication – celle de la salle de travail, de la vidéoconférence, des notes de service – et une langue poétique, celle de Clément, de Valéry, des Gisants, des formules mathématiques, une langue défaite d'usage, ne se trompant pas sur sa faillibilité, sa fragilité. « Double état de la parole » qui rappelle Mallarmé et sa distinction entre usage instrumental et usage symbolique du langage, l'un référentiel, l'autre poétique. D'un côté, « [n]arrer, enseigner, même décrire, […] l'universel *reportage* dont, la littérature exceptée, participe tout, entre les genres d'écrits contemporains » ; de l'autre, « le dire, avant tout, rêve et chant, [qui] retrouve chez le Poëte, par nécessité constitutive d'un art consacré aux fictions, sa virtualité[12] ».

---

12. Stéphane Mallarmé, « Crise de vers », *Œuvres complètes*, Paris, Gallimard, 1945, p. 368.

En creux des mots, *Ciels* invente un lieu qui n'est plus narratif, ni descriptif, mais suggestif, un «milieu, pur, de fiction», qui se déploie dans un rapport d'extraction et d'abstraction. L'espace arrache le spectateur au monde extérieur : lorsque les portes se ferment, celui-ci disparaît. Mots, images rebondissent d'un mur à l'autre, sans échapper au dispositif. Dans un rapport frontal, la salle, le sol, les fauteuils, le cadre appartiennent au monde réel, le corps des spectateurs y est encore inscrit ; l'œuvre est devant lui, ils ne partagent pas le même territoire. Là tout est l'œuvre, jusqu'au plancher, jusqu'aux portes par lesquelles les personnages circulent des chambres au jardin, à la salle de travail, jusqu'aux projecteurs, jusqu'aux régisseurs qui sont les techniciens de la cellule antiterroriste. Tout est justifié. L'installation même des spectateurs contrarie les habitudes : la proximité des tabourets est telle qu'un rapport d'intimité physique est immédiat. Lorsqu'ils pivotent en sens contraires, les genoux des spectateurs se rencontrent. Ainsi les spectateurs forment-ils un corps à cent têtes, homogène, insécable et contre-nature.

L'œuvre est autonome et ne renvoie qu'à elle-même. Au dernier instant de la pièce, dans le cri de l'enfant à peine né, la toile blanche qui tendait le mur de la salle de travail chutait pour laisser paraître la seule obscurité, nuit étoilée, néant. Telle la fleur «absente de tous bouquets», la cellule francophone n'a d'autre réalité que poétique, «*aboli bibelot d'inanité sonore*[13]». *Ciels*, par sa clôture, abandonne l'illusion référentielle et avoue son abstraction. Une abstraction qui en révèle

---

13. Stéphane Mallarmé, « Plusieurs sonnets, IV », *Œuvres complètes*, *op. cit.*, p. 68.

une autre, elle paradoxale : celle d'un monde devenu aveugle à lui-même, impuissant, comme la cellule francophone à l'instant où elle comprend le projet d'Anatole.

La poésie, certes, ne peut sauver le monde, mais le penser serait se méprendre sur sa nature. *Ciels* ne vaut que comme expérience, comme œuvre ; avouant sa faillibilité, elle tente seulement de «rémunérer[14]», à sa manière, un défaut du langage.

---

14. Mallarmé, évoquant le vers : «lui, philosophiquement rémunère le défaut des langues», («Crise de vers», *op. cit.*, p. 364).

BABEL

Extrait du catalogue